Noelia Sánchez

1º A1 ADMINISTRATIVO.

S0-AGE-245

Jan Terlouw

Barrotes de bambú

La cárcel de las sectas

ediciones **SM** Joaquín Turina 39   28044 Madrid

Colección dirigida por **Jesús Larriba**

Primera edición: agosto 1988

Octava edición: marzo 1995

Traducción: *José Enrique Cubedo*
Fotografía de cubierta: *A. Ruano*
Diseño de cubierta: *Estudio SM*

Título original: *Gevangenis met een open deur*
© Lemniscaat b.v., Rotterdam, 1986
© Ediciones SM, 1988
   Joaquín Turina, 39 - 28044 Madrid

Comercializa: CESMA, SA - Aguacate, 43 - 28044 Madrid

ISBN: 84-348-4513-X
Depósito legal: M-1159-1995
Fotocomposición: Grafilia, SL
Impreso en España/Printed in Spain
Imprenta SM - Joaquín Turina, 39 - 28044 Madrid

No está permitida la reproducción total o parcial de este libro, ni
su tratamiento informático, ni la transmisión de ninguna forma o
por cualquier medio, ya sea electrónico, mecánico, por fotocopia,
por registro u otros métodos, sin el permiso previo y por escrito de
los titulares del *copyright*.

Prólogo

A Céline la vida no le resultaba muy divertida y nadie entendía el porqué. Era guapa, sacaba buenas notas y estaba en la flor de la vida; de corta estatura, sin ser demasiado baja, tenía un buen tipo. Su piel era fina, y cuando tomaba el sol se ponía morena rápidamente. Sus ojos oscuros podían centellear de ira, pero rara vez lo hacían; entonces las comisuras de sus labios se arqueaban hacia abajo. Las personas que la conocían y la querían decían que debía de sufrir depresiones; y las más críticas aseguraban que era una aguafiestas.

Céline podría haberles hablado de lo horrible que le parecía el mundo y lo desgraciada que se sentía a veces, pero casi nunca lo hacía, ya que había aprendido que la gente rehúye el trato de los que se lamentan perpetuamente. No está mal lanzar una queja esporádica, aunque sólo sea para demostrar lo mucho que confías en alguien. Pero si alguien te oye quejarte de lo mismo más de dos veces, deja de escucharte, se pone a bostezar y se inventa algún pretexto para librarse de ti y de tus lamentaciones.

Céline tenía un hermano mucho mayor que ella que había abandonado el hogar a los diecisiete años y al que ahora sólo veía cada quince días. La chica estaba en su último año escolar. Su aprovechamiento había sido bastante bueno hasta entonces y seguía viviendo en el hogar familiar, a pesar de que no veía mucho a sus padres; éstos llevaban vidas independientes. Su padre tenía una tienda de bicicletas en Osdorp y sólo le interesaban dos cosas en este mundo: su negocio y la televisión. Su expresión favorita era: «estoy cansado». Esa misma era la excusa que empleaba por la noche cuando se sentaba, silencioso, delante de la pantalla. Y era la cantilena con la que se acostaba al término de la programación del día.

El único gran argumento que utilizaba para negarse a contestar preguntas difíciles: «estoy demasiado cansado».

Como contrapartida, la madre de Céline hablaba sin descanso, a todas horas. Quizá fuera un problema nervioso o por falta de seguridad en sí misma; por el motivo que fuera, el caso es que la buena mujer hablaba como una cotorra. Charlaba desde que se despertaba: mientras cocinaba, comía, fregaba los platos, y lo peor de todo, cuando los demás intentaban intervenir en la conversación. Céline sólo tenía que hacer un comentario, como «nos han puesto un nuevo profesor de Geografía», para que su madre se disparara, recordando a todos los profesores de Geografía que había tenido, en particular a un tal señor Van der Heuvel, incapaz de mantener la disciplina en el aula y que en una ocasión le había puesto un cuatro. Y como este caso, mil.

Para todos los efectos, a Céline le habría dado igual haber sido invisible. Su padre nunca la escuchaba porque estaba enfrascado en los libros de contabilidad de su negocio o, sencillamente, porque estaba «demasiado cansado». A su madre sólo le interesaba el hablar sobre sí misma. Y su hermano tampoco le prestaba ninguna atención: no estaba allí. «No debería sorprenderme», pensaba la muchacha. ¿Qué tenía ella que decir que fuera de alguna relevancia? No era ni divertida, ni ingeniosa, ni interesante. No intuía cómo eran las personas. A la hora de las presentaciones las encontraba agradables, pero luego siempre resultaban todo lo contrario y ella era la última en darse cuenta.

A Céline no se le daba bien ninguna clase de juego. Para ser justos, digamos que no era la peor de la clase, pero en nada destacaba.

No tenía aficiones ni gustos concretos. Le encantaba ir al cine, pero porque allí se sentía acompañada. ¿Por quién? Nunca se atrevía a pedírselo a nadie, y nadie llegó nunca a ofrecérsele como acompañante. Si alguna vez alguien se lo pidió, era siempre por interés egoísta. A Céline le habría gustado tener un amigo, le habría encantado, pero con la condición de que a éste le hubiera interesado ella como persona, y no únicamente por tratarse de una chica.

Aborrecía los domingos. Su padre se pasaba el día durmiendo o viendo en la televisión aburridas carreras de coches. Cuando su mujer le dirigía la palabra, todo lo que decía a modo de respuesta era: «¡Silencio!» Su hermano Willem no estaba en casa. Una vez hechos concienzudamente sus deberes escolares, Céline se aburría. No le apetecía la bicicleta. Y tampoco se atrevía a saludar a ninguno de sus compañeros de clase porque pensaba que iban a echar a correr en cuanto vieran acercárseles una chica tan aburrida como ella.

—¿Por qué no haces algo? —le preguntaba su padre, al darse cuenta de su presencia.

—Escúchame —añadía su madre.

Céline se dirigía a su habitación, se arrojaba sobre la cama y se ponía a mover rítmicamente las piernas de puro aburrimiento y para llenar el profundo vacío de su existencia. No era feliz. Las comisuras de los labios le caían entonces más acusadamente y se aislaba del mundo exterior. Cuando el cielo estaba encapotado pensaba: «Qué tiempo tan asqueroso»; pero aún era peor cuando brillaba el sol, pues entonces pensaba: «El sol brilla para la gente que es dichosa, para quienes tienen compañía, y no para desgraciadas como yo».

Un día Céline explotó durante la cena. Estaba contando a sus padres un accidente que había presenciado: un muchacho había sido atropellado por un automóvil mientras circulaba en bicicleta y había perdido el conocimiento. De repente su madre se puso a relatar exhaustivamente toda una serie de accidentes de tráfico de los que había sido testigo.

—¿Por qué no te callas de una vez? —casi gritó Céline.

La madre quedó desconcertada unos instantes. Luego abrió la boca de nuevo y comenzó a perorar atropelladamente sobre cómo la gente no debería gritarse, que se había limitado a comentar la historia de Céline, y hablar de cómo en una ocasión ella...

«Tal vez mi madre habla tanto con el fin de impedir que se diga algo relevante», pensó Céline, apaciguándose tras su estallido de mal humor.

—Deja que termine de contarnos su historia —dijo su padre.

—Pero si yo la dejo...

—¿Quieres callarte?

Su madre enmudeció. Entonces se produjo un silencio tenso.

—¿Quedó muy estropeada la bicicleta? —preguntó su padre.

«Su intención era loable, pero de todo lo que podría haber dicho, ¿por qué tuvo que referirse precisamente a la bicicleta?», pensó Céline con amargura. Era típico en él mostrar interés únicamente por la mecánica.

—Olvídalo —respondió Céline—. Da lo mismo.

Poco a poco se iba hundiendo en la depresión. A menudo se llamaba a sí misma tristona, lo cual la consolaba tontamente. Nadie puede evitar sufrir de cuando en cuando melancolías; es un sentimiento que se apodera del individuo que lo padece, como pasa con un dolor de cabeza.

A Céline la asediaba un cúmulo de interrogantes sobre su persona: ¿Por qué soy así? ¿Soy realmente tan horrible? ¿Se trata de algo pasajero o estoy destinada a ser así toda la vida? No tenía a nadie a quien poder preguntárselo.

Los miembros de su familia no frecuentaban la iglesia y el sacerdote sólo la conocía de vista. Se hacía preguntas acerca de la vida: ¿Tiene razón de ser la existencia humana? ¿Por qué estamos en este mundo? ¿Tiene la vida algún significado? ¿Somos responsables unos de otros? ¿Tenemos alguna responsabilidad de que la gente se muera de hambre en África? Céline había visto programas de televisión sobre esa tragedia. En ocasiones oía alguna reflexión por la radio en boca de algún sacerdote o ministro que hacía algún comentario acerca de Dios. Nunca llegaba a entenderlo, o por lo menos no significaba nada para ella. Se sentía completamente sola en el mundo a pesar de los cientos de personas que a diario veía a su alrededor.

Todo ese estado de cosas cambió el día en que conoció en Amsterdam a una chica de su misma edad que la llevó a un caserón situado en el Prinsengracht. Allí había muchos otros jóvenes que le dieron, sin excepción, una amistosa bienvenida. Todos se interesaron por ella con toda su alma. Escuchaban lo que les decía acerca de su vida y lo que echaba de menos en ella.

Aquellos jóvenes la abrazaron. Al final le hicieron prometer que volvería al día siguiente. Céline se fue a casa sintiendo un calorcillo en su interior, pero al día siguiente le costó trabajo regresar a aquella casa junto al canal. ¿Qué vieron en ella? ¿Acaso era posible todo aquello? Su cordialidad no podía ser auténtica. Debían de pertenecer a una de esas extrañas sectas de las que había oído hablar y contra las que incluso la habían prevenido.

A causa de la soledad que sentía y lo desapacible que resultaba su entorno natural, le pareció que la recibían como a una hermana. Aquellos jóvenes le contaron que su grupo se llamaba Almas Vivas y que su líder, un hombre extraordinariamente sabio, conocía la respuesta a todos los problemas. Céline pensó en las preguntas que quería formular, pero nunca parecía tener tiempo para hacerlo. El motivo era quizá lo abrumada que se sentía por las declaraciones de amistad, aliento y preocupación por sus problemas. Quería integrarse al grupo y dejar de sentirse sola. Su soledad era su infierno. Le dijeron que tenía que superar una prueba para pertenecer de lleno al grupo; consistía en una especie de purificación espiritual.

Lo pasó muy mal. Fue humillada y recriminada y le hicieron llorar varias veces. El único consuelo era que todos los miembros del grupo se sometían juntos a dicho procedimiento. Esto les hacía vivir una poderosa sensación de unidad y sentir que se pertenecían y se amaban. Le prometieron que vería a su gran líder si era perseverante. Céline podría escucharle y hacerle preguntas.

Al fin, un día fue conducida a presencia del gran líder y éste, efectivamente, contestó a sus preguntas. El caso es que Céline no entendió realmente todo lo que le dijo, pero pudo sentir su inspiración y espiritualidad. Por fin había conocido a alguien que sabía la verdad. Ya no tenía necesidad de pararse a pensar: él pensaría por ella.

Una vez que la chica se integró plenamente en el movimiento, tuvo que trabajar duramente para él. Necesitaban dinero y nuevos miembros. Céline realizó su trabajo con amor y dedicación. Cuanto más dinero aportaba, mayor era su sensación de pertenencia al grupo y menor su soledad, al tiempo que se reforzaba su cariño y admiración por su líder.

El grupo la invitó a trasladarse a vivir en su residencia. La fuerte oposición de sus padres la dejó indiferente. Después de todo, el líder había dicho que era una buena idea.

—¿Y qué me dices de tus exámenes finales? —le preguntaron sus padres con preocupación.

—¿Acaso me van a servir para algo? —replicó Céline—. Hay cosas más importantes en la vida que unos exámenes. Voy a abandonar el instituto.

Sus padres acudieron a las autoridades municipales para preguntar si podía tomarse alguna medida. No había nada que hacer. El futuro de Céline era cosa suya. Nadie la había obligado a incorporarse al grupo. La policía podía traerla a rastras hasta su casa, puesto que se trataba de una menor, pero ¿de qué iba a servir eso? Se escaparía de nuevo, y sus padres no podrían retenerla indefinidamente en casa como a una prisionera. No, la policía estaba atada de pies y manos ante este caso.

De este modo comenzó Céline una nueva vida a la edad de diecisiete años. Se pasaba diez horas diarias fregando suelos y platos, vendiendo helados y repartiendo revistas de puerta en puerta. Vivía entre amigos con los que podía cantar, conversar, iniciar a nuevos miembros, así como adorar al líder que pensaba y tomaba decisiones por ellos.

Creía ser feliz.

1

IMAGINEMOS una pequeña área suburbana en las afueras de la ciudad de Amsterdam. Por ella discurre la avenida Reina Wilhelmina, amplia, bordeada de árboles, y con bonitas casas rodeadas de un césped bien cortado y arbustos floridos en todas las estaciones del año. Fijemos nuestra atención en la última casa de la avenida, una edificación de planta cuadrada, elegantes balcones en tres de sus fachadas, y coronada por un tejado azul oscuro.

En la primera planta tenía su despacho Arthur Keizer, de sesenta y un años de edad. Era una hermosa estancia, provista de modernos armarios y sillas de color blanco, e incluso de un escritorio blanco que hacía juego con el resto del mobiliario. La mesa de trabajo estaba escrupulosamente limpia; en ella no se amontonaban los papeles, aunque, eso sí, contaba con un dictáfono, un teléfono y una máquina de escribir electrónica. De las paredes colgaban cuadros de colores armoniosos que no sugerían nada en particular. Unas puertas corredizas, adornadas por espesos cortinajes color granate, daban al balcón de la fachada sur.

El señor Keizer recorría pensativamente su estudio de un extremo a otro. Había dejado las gafas sobre el escritorio y se restregaba los ojos, llenos de vida, como los de un adolescente. Su rostro tenía el color atezado de un hombre que dedica tiempo al cuidado de su jardín. Su pelo era casi blanco; había sido así desde que cumplió los treinta y cinco años.

—Se corre un gran riesgo —dijo Keizer en voz alta—, pero tengo que hacerlo.

Regresó a su escritorio, se puso las gafas y cogió una carpeta, que comenzó a hojear.

—¡Arthur, el café está listo! —exclamó una voz femenina a

11

través del intercomunicador, situado bajo el interruptor de la luz, junto a la puerta—. ¿Bajas o prefieres que te lo suba?

Keizer apretó un botón y respondió:

—Ahora mismo bajo.

Su esposa, María Keizer, le aguardaba ante la ventana del gran cuarto de estar donde se habían acostumbrado a tomar el café juntos, desde la jubilación de Arthur. Su mujer disfrutaba de aquellos ratos. Él también, aunque en ocasiones echaba de menos el espantoso brebaje suministrado por la máquina, que decían que era café y que bebía precipitadamente en compañía de los demás agentes de policía.

—¿En qué estás pensando? —le preguntó su esposa—. ¿Se trata del asunto que tienes sobre tu mesa?

Keizer sonrió y dijo:

—Más o menos.

—Pero si tú ya has acabado con ese caso. ¿Por qué no dejas que Van Wissen se rompa ahora la cabeza con él?

Su mujer le venía repitiendo lo mismo por lo menos tres veces por semana a lo largo del último mes. Van Wissen había sucedido a Keizer en el cargo de comisario de policía.

—Este café es mejor que el que me daban allí —comentó Keizer, sonriendo a su esposa.

—¿Te gustaría hablar sobre el tema? —le preguntó ella.

Keizer negó con la cabeza.

—Tal vez más adelante —tenía que tomar esta decisión él solo; no quería que ella se viera implicada—. Leo Wagenaar estará aquí enseguida —añadió—. Ya está ahí. Le subiré una taza. Me parece recordar que le gusta tomarlo solo.

—Muy bien, Arthur.

María había aprendido hacía años a no agobiar a su marido si había algún tema sobre el que él no quería discutir. Cuando había sido policía en activo, era frecuente que no le permitieran discutir con su mujer ciertos asuntos del trabajo.

Leo Wagenaar era alto y delgado, y con una edad que sobrepasaba ligeramente los veinte. No podía permitirse el lujo de tener un automóvil, pero como le encantaba conducir, tenía uno de todos modos: un viejo Volkswagen, el conocido comúnmente como «Escarabajo». Era un milagro que pudiera acoplar sus largas piernas al pequeño habitáculo. Aquello daba pie a que sus amigos se metieran con él. Le decían que hasta empezaba ya a parecerse a un escarabajo.

Leo no era un intelectual. No es que no tuviera la cantidad normal de materia gris; es que no le interesaba el razonamiento abstracto. Había pasado de un colegio a otro, y no movido por el ansia de adquirir conocimientos, sino porque siempre estaba haciendo travesuras en las que le cogían «in fraganti».

Ya en la escuela primaria había sido campeón de lanzamiento de avioncitos de papel, habilidad que había perfeccionado en la escuela secundaria, donde también había aprendido a destrozar ventanas con un tirachinas con el que apuntaba certeramente al objetivo deseado. Así, a una temprana edad su camino se había cruzado con el de Keizer, entonces agente de policía.

Leo tenía otra cualidad que rara vez aprecian los profesores en sus alumnos: era insaciablemente curioso, inquisitivo. Esto seguramente tenía algo que ver con sus grandes orejas gachas que podía mover como lo hacen los perros y que había utilizado desde la infancia para oír todos los chismes habidos y por haber. Nunca había dudado a la hora de echar una mirada furtiva en el cuaderno de notas del profesor, para poder contar a sus compañeros de clase lo que estaba allí escrito acerca de ellos. Por eso sus calificaciones solían ser siempre pésimas. Leo nunca comprendía por qué alguien se empeñaba en aprender el significado de la palabra francesa *décalage* cuando, haciendo el mismo esfuerzo, uno podía enterarse de por qué Gertie iba, de repente, a casarse con el panadero. Lo mismo que por qué se devanaban los sesos para resolver una ecuación de segundo grado.

—Toma asiento, Leo —dijo Keizer—. Te subí algo de café. Sueles tomarlo solo, ¿verdad?

—Negro como la noche —respondió Leo.

Keizer se puso a pasear por la habitación de arriba abajo, sorteando las piernas estiradas de Leo para no tropezar con ellas.

—He averiguado lo que usted quería —dijo Leo.

Keizer asintió con la cabeza en señal de aprobación. Nunca había dudado ni un solo instante de que Leo lo conseguiría. Siempre lo hacía. Había pocas cosas que se resistieran a sus pesquisas. A menudo realizaba trabajos para el antiguo comisario de policía; lo había hecho cuando Keizer aún pertenecía al cuerpo.

—Cuéntamelo.

—Valentine tiene una tía en Oldenzaal —dijo Leo—. Una tía auténtica. Ya sabe, del tipo de esas que va a la iglesia y que frunce el entrecejo cuando uno hace algo que a ella no le gusta. Cuando Valentine se metió en aquel embrollo, recurrió a ella... en busca de dinero, por supuesto. Su tía le echó literalmente a patadas. ¡Menuda vieja!

—Así es que se ha producido en él todo un gran cambio desde entonces —comentó Keizer reflexivamente.

—Efectivamente. Las relaciones entre tía y sobrino son ahora de lo más amistosas.

—¿Le mantiene su tía?

—En parte.

—Bien. Ya me hago cargo de la situación —dijo Keizer. Se sentó a su escritorio, abrió la carpeta que había estado hojeando con anterioridad y escribió unas notas—. El expediente está completo ya —añadió—. Has hecho un buen trabajo, Leo. ¿Te gustaría ocuparte ahora del caso Paul van Ravenswaai?

—Sí, señor.

El joven levantó por tiempos su impresionante humanidad de un metro noventa y seis de estatura, agachando la cabeza de forma mecánica al abandonar la estancia, a pesar de que no era necesario en aquella vivienda de techos altos.

—Te veré mañana —dijo Keizer—. O pasado mañana, como muy tarde.

—De acuerdo.

Keizer no salió a despedirle. Leo conocía el camino. Había estado en la casa docenas, por no decir cientos de veces con anterioridad. Keizer suspiró y fijó la vista distraídamente en la carpeta que tenía delante. Al principio no había querido creer en su contenido, pero Leo le había convencido finalmente de su veracidad. Como policía se había encarado a menudo con el problema de los jóvenes que caen en la drogadicción. Había conocido la desdicha y las calamidades que padecían los propios adictos, y la incertidumbre que sentían sus padres, así como las muestras de valor y las decepciones de aquellas personas que trataban de rehabilitar a las pobres víctimas. Las había tenido en su despacho, tras ser detenidas por robar dinero con el que costearse la droga. Las había oído prometer que abandonarían el vicio y había descubierto lo vanas que resultaban tales promesas, al menos en la mayoría de los casos. Algunas conseguían librarse del hábito, ayudadas por personas con reservas infinitas de fe y paciencia. En ocasiones el proceso llevaba años.

Cuando había sido comisario de policía, el problema de las drogas había angustiado a Keizer más que ningún otro. Ahora, ante él se encontraba el expediente de un joven que había logrado liberarse. ¿Con qué frecuencia sucedía esto? ¿Un caso entre mil? ¿O tal vez entre diez mil? Por eso necesitaba al chico. Precisaba de la ayuda de jóvenes con mucho carácter, espíritu y fuerza de voluntad. Una tía anciana había ayudado a Valentine, especificaba el expediente. Sin embargo, ella no le había salvado; se había salvado él a sí mismo, estimulado por la actitud de su tía, que había sabido pulsar la cuerda más profunda de su sensibilidad interior. Keizer estaba convencido de que este chico constituía una buena elección.

EL CASO VALENTINE DE BOER

Valentine de Boer había nacido el 14 de febrero de 1967, en el seno de la familia de Herman de Boer y su esposa inglesa Josy Rutherford. Al niño deberían haberle llamado Hendrik Jan, como su abuelo, pero a Josy no le había gustado ese nombre, probablemente porque no sentía el menor aprecio por su suegro, que era un hombre rígido y mezquino. Cuando la mujer quedó embarazada y calculó que el niño nacería en febrero, le dijo a su marido:

—De acuerdo, seguiremos esa tonta y cursi costumbre holandesa, a menos que...

Su marido la interrumpió diciendo:

—Como si en Inglaterra no tuvierais costumbres tan cursis o más.

—... a menos que el niño nazca el catorce de febrero, en cuyo caso le llamaremos Valentine o Valentina.

—Trato hecho.

Como Josy era una buena administradora de su fisiología, su hijo nació precisamente el día de san Valentín.

—Te saliste con la tuya —dijo Herman, besándola.

—Hoy hace dos años me enviaste una carta de amor maravillosa —le dijo Josy—. Se trataba de un anónimo, pero supe que venía de ti.

—¿De verdad? —preguntó Herman, sin dar muestras de lo halagado que se sentía.

—Sí, debido a los errores en el inglés.

—Tú tienes la suerte de no haber cometido nunca errores en holandés —dijo Herman con galantería.

Aquel elogio era casi cierto. Josy había aprendido muy bien el holandés y con gran rapidez. Incluso Hendrik Jan, que ahora era abuelo, lo reconocía así.

—En aquella misiva me llamabas tu querida Valentina —dijo Josy—. Éste es el Valentine que te ofrezco.

Josy y Herman eran bastante jóvenes cuando nació su hijo y era adoración lo que sentían por él. En justa correspondencia, el niño también los adoraba a ellos. Era un chiquillo callado, sensato, reflexivo. Una vez, al preguntarle sus padres si le gustaría ir a pasar el día con sus abuelos, el pequeño, de cuatro años de edad, respondió con gravedad:

—Me gustaría pensármelo.

Tras permanecer sentado en una banqueta tres minutos completos, se levantó y dijo que sí, que le gustaría. A pesar de esta extraña seriedad de que hacía gala el crío, también era capaz de pasárselo bien. Cuando su padre le hacía graciosas muecas o su madre cosquillas en los pies, se reía a carcajadas, y a veces los tres acababan tumbados en el suelo muertos de risa.

Desgraciadamente no tuvieron un segundo hijo. A Josy y a Herman les habría gustado engendrar otra criatura, pero nunca lo lograron.

—Se nos han agotado las municiones con este magnífico pequeñín —decía a veces Josy con una pizca de tristeza al tratar de bromear sobre el tema.

Herman inició un negocio de herramientas de jardinería al por mayor. Josy colaboraba con su marido y de este modo ganaban lo suficiente como para vivir holgadamente. Enseguida decidieron la expansión de la empresa y crearon una compañía filial en Gran Bretaña, adonde se trasladó Josy en un par de ocasiones para establecer contactos comerciales.

Mientras tanto Valentine iba al colegio; estaba aprendiendo a leer. Su padre había mantenido una seria conversación con el niño:

—Éste es un momento importante en tu vida —le dijo—. Vas a cruzar el umbral de la mejor puerta de este mundo, la puerta que te comunicará con todas las bibliotecas y que te permitirá acceder a todos los libros que se han escrito. Es el más bello regalo que un niño puede recibir. Vas a aprender a leer.

Valentine disfrutó aprendiendo a leer. Le gustaban las frases. A menudo repetía en voz alta infinidad de veces una frase que había oído, como si ésta fuera a cobrar vida propia, en forma de árbol o de un rebaño de ovejas. *Él cerró la puerta y jamás regresó a aquella casa de nuevo*, leía. Era el tipo de oración que se alojaba en su mente durante días enteros, lo mismo que algunas personas tararean una melodía durante días y días. Él cerró la puerta y jamás regresó a aquella casa de nuevo. *Jamás. Aquella casa. Cerró la puerta.*

Sus padres le llevaron al extranjero con ellos: a Italia, a Francia y, por supuesto, a Inglaterra. De su madre aprendió a hablar inglés con soltura y pronto llegó a hablarlo mejor que su padre, al menos en lo referente al acento. A veces le daba por lucirse delante de sus compañeros de clase, como cuando repetía impecablemente expresiones difíciles de una película inglesa que veían todos juntos en la televisión. Aquello chocaba un poco, pero por lo demás se trataba de un chico amigable, que se llevaba bien con casi todo el mundo. No trataba mucho a la familia de su padre, que no había visto con buenos ojos que Herman se casara con una extranjera. Tenían más trato con la familia de su madre, a pesar de las distancias y las complicaciones que entrañaban sus relaciones a causa de divorcios, segundos y terceros matrimonios, hijastros e hijos adoptivos, que eran moneda corriente entre los parientes de Josy.

Vistos en su conjunto, los primeros diez años de Valentine fueron normales y felices. El niño nunca pensó que las cosas pudieran cambiar; ¿por qué iban a hacerlo?

Poco después de su décimo cumpleaños, sus padres se trasladaron en avión a los Estados Unidos en viaje de negocios. Valentine fue a alojarse a casa de los Blankenstijn, que eran amigos de sus padres, durante la semana que éstos pensaban estar ausentes. Los Blankenstijn tenían dos hijos; era incapaz de recordar sus nombres un par de años más tarde, incluso a pesar de que habían estado con él cuando sucedió la catástrofe: el avión en que viajaban sus padres se estrelló, perdiendo la vida todos sus ocupantes.

El señor y la señora Blankenstijn se lo contaron a Valentine. Ni que decir tiene que fueron muy amables con el chico. Se pasó varios días llorando desconsoladamente; sus lágrimas eran incontenibles. Cuando, finalmente, llegó a tranquilizarse, había dejado de creer que su madre y su padre habían muerto. Podría haberle sido de ayuda el asistir a su entierro. Pero el avión se estrelló en el mar. Fue imposible recuperar los cadáveres.

Cuando Valentine oía meter la llave en la cerradura de la puerta, pensaba que se trataba de su padre que regresaba a casa, pero era siempre el señor Blankenstijn. Cuando oía risas a lo lejos, pensaba que eran las de Josy, pero por supuesto siempre se trataba de alguna otra persona. Le resultaba tan extraño que sus padres hubieran desaparecido de su vida que no podía creerlo.

Pero era cierto y, finalmente, llegó a aceptar el hecho. Se fue a vivir con un tío suyo, mucho mayor que su padre, al que sólo había visto en tres ocasiones, y con su esposa, la tía Annie. Era una mujer amable, pero muy parca en palabras, y muy agarrada en cuestiones de dinero; todo lo contrario que Herman y Josy, que habían mantenido siempre que el dinero era para gastarlo. Cualquier pretexto era bueno para que sus padres le obsequiaran con un helado o un perrito caliente, según la estación del año. Durante meses los ojos de Valentine se inundaban de lágrimas cuando pensaba en esas cosas.

El chico comenzó a sentir lástima de sí mismo, en parte a raíz de haber oído decir al señor Blankenstijn:

—Es una desgracia para el chico, pero los niños de su edad superan rápidamente estas cosas.

Es una desgracia para el chico. Ése era él: un desgraciado. Cada vez que recordaba esas palabras, rompía a llorar. Una desgracia para el chico. *Pero los niños de su edad superan rápidamente esas cosas.* ¿Era verdad? ¿Llegaría él a olvidarlo? ¿Era él tan superficial? ¿Qué sabía el señor Blankenstijn sobre el particular? Nunca lo superaría. Seguía sintiéndose desgraciado y esa era la cruda realidad.

Valentine se fue metiendo dentro de su caparazón a lo largo de los años siguientes. Nadie que se vea involucrado en un desastre de tales proporciones lo olvida rápidamente, aunque lo hagan los que le rodean. Valentine no dejaba de considerarse como un muchacho desdichado al que le había sucedido algo terrible; todos los demás le veían soso e insignificante.

—Sí, ha perdido a sus padres en un accidente, ¿no es cierto? ¿Que no se ha recuperado todavía? ¡Qué pena! Invitemos a alguna otra persona a la fiesta del sábado —era un comentario normal.

El chico pasó al instituto y tuvo que repetir el segundo curso. Valentine creyó que aquel fracaso escolar le hacía parecer incluso más desgraciado, aunque nadie más lo creyera así.

—Es culpa tuya por no estudiar —le dijo su tío Cor.

Incluso su tía Annie se molestó en comentar:

—Tu tío Cor tiene razón.

Valentine entró en contacto con la droga a los catorce años. Al principio le pareció algo inofensivo. En el instituto entabló amistad con un muchacho algo mayor que él, que le facilitó gratis algo de hachís, o tal vez fue marihuana, no se acordaba. Se sintió algo mareado después de fumarlo pero, de todos modos, estaba resuelto a no dejar traslucir su malestar físico al muchacho que le proporcionó la droga, ni siquiera a reconocerlo él mismo. Apenas llegó a entonarse. La experiencia fue bastante decepcionante. No obstante, cuando el camello le ofreció algo más de droga un par de días después, esta vez por dos florines, Valentine la aceptó. Más que la droga y el dudoso placer que pudiera derivarse de ella, lo que estaba comprando era la atención del traficante.

Llegó el momento en que la droga comenzó a surtir efecto. Cuando Valentine la consumía, las aristas más afiladas de su lastimosa existencia comenzaban a embotarse, y podía dejarse arrastrar con autocomplacencia por las corrientes de su infelicidad.

—Dispongo de algo mejor para ti —le dijo el camello al cabo de cierto tiempo.

—¿De qué se trata?

—Pruébalo y verás. Es una anfetamina. Los deportistas la toman a veces antes de un partido importante. Te hace sentir capaz de cualquier cosa. Es fantástica.

Para entonces Valentine ya se había dado cuenta de que este individuo era un traficante que vendía droga a otras personas para reunir el dinero que necesitaba para satisfacer su propia adicción. En lo más profundo de su ser también se daba cuenta de que se estaba comportando como un imbécil, pero nunca dejó que esta sensación aflorara a la superficie.

Al principio, le fue posible ocultar su adicción a sus tíos. Pero su escasa asignación de dinero no le llegaba para cubrir los gastos que le acarreaba la adquisición de droga, por lo que comenzó a sustraer algunas cantidades de dinero del bolso de su tía. Cuando sus tíos averiguaron que Valentine se drogaba, se quedaron consternados. Le regañaron y le sermonearon. Le hicieron todo tipo de súplicas, pero no fueron capaces de hacerse con una situación que se les escapaba de las manos. ¿Y quién habría podido lograrlo?

Llegó a ser totalmente imposible razonar con él, volviéndose completamente ingobernable. A menudo, cuando se reponía de algún viaje, se sentaba y se echaba a llorar amargamente. Valentine era más desgraciado que nunca, ahora que era drogadicto. Buscó alivio en las drogas duras; en concreto, en la heroína. Robaba radios de automóviles para conseguir el dinero necesario para costearse la droga, hasta que fue arrestado y pasó una noche en los calabozos de la comisaría. La brigada antinarcóticos de Amsterdam fue a hablar con él y Valentine accedió a someterse a un tratamiento de rehabilitación. Al cabo de una semana de su puesta en libertad, su dependencia de las drogas era mayor que antes. Dejó de ir al instituto y a veces no aparecía por casa durante semanas, yéndose a dormir, con otros drogadictos, a un local asqueroso, con el suelo sembrado de restos de pan mohoso y latas de coca-cola vacías; compartía con sus compañeros de desgracia su infrahumana condición.

Tío Jack y tía Annie le dieron por perdido. Depositaron las pertenencias de su sobrino en un armario y lo cerraron con una fuerte cerradura. A veces le habían dado dinero con el único objeto de librarse de él. Cuanto antes abandonara su casa, mejor.

«Todo esto es debido a que mis padres están muertos», pensaba Valentine, que lloraba inconsolable. El señor Blankenstijh, lleno de buenas intenciones, fue a hablar con él. Valentine fingió que le escuchaba. Prometió abandonar la droga bajo juramento, y añadió que comenzaría ese mismo día, aunque primero tenía que pagar la deuda de 300 florines que había contraído con un traficante. El señor Blankenstijn le creyó y le dio el dinero; luego se enteró de que Valentine se había ido derecho a comprar más droga.

Este desgraciado estado de cosas prosiguió durante dos años. Valentine estaba delgado y consumido. Su piel cobró una coloración grisácea. Las únicas veces que se lavaba la ropa era cuando necesitaba acudir a alguien en petición de dinero. Cuando trataba de conseguir dosis de droga, se desenvolvía con la astucia de un zorro.

Llegó el día en que se vio envuelto en un grave embrollo. Los traficantes le presionaron con terribles amenazas para que pagara sus deudas y le amenazaron con pegarle una paliza si no lo hacía. La población de la ciudad se había vuelto cada vez más hostil hacia los drogadictos. Hubo que aumentar el control policial con el fin de impedir que los ciudadanos se tomaran la justicia por su mano.

Valentine ya no podía pensar en nadie a quien tratar de sacarle dinero. Un día se acordó de que tenía una tía en Oldenzaal, la hermana de su padre, a quien había visto por última vez en la reunión familiar que tuvo lugar tras el accidente de aviación. Se devanó los sesos para acordarse de su nombre. ¿No había una «i» en él? Todo lo que podía recordar era que se trataba de una mujer bastante corpulenta, aunque esa idea podría deberse a que él era mucho más pequeño entonces. Ahora tenía dieciséis años.

Tía Diane; ése era su nombre, Diane. Valentine buscó su domicilio en la guía telefónica y se fue hasta allí haciendo autostop, pues no tenía dinero suficiente para pagar un billete de tren. Fue un viaje horroroso. En cuanto los conductores le recogían en la carretera, se arrepentían de haberlo hecho, y abrían rápidamente las ventanillas de sus automóviles para que escapara el agrio hedor que desprendía.

Al fin llegó a casa de su tía, sudoroso, con retortijones en el vientre, y ansiando una dosis de droga. Tocó el timbre y reconoció a tía Diane en cuanto ésta le abrió la puerta. La mujer llevaba un vestido ceñido y olía a cera de abejas y a hierbabuena.

—Soy Valentine —balbuceó el muchacho.

—Lo sé —replicó su tía—. ¿Por qué has venido? —en su voz no se reflejaba el menor tono de cordialidad.

—Estoy... estoy enfermo —dijo Valentine tan débilmente como pudo. No le fue preciso fingir mucho, ya que realmente se sentía fatal.

—Entra, pero no te me acerques mucho. Apestas —dijo su tía bruscamente.

Valentine la siguió hasta el cuarto de estar donde su tía había estado planchando, y se sentó en una silla de madera, de respaldo liso, que le señaló ella sin la menor ceremonia. Al chico le temblaban las manos, no pudiendo permanecer quieto en el asiento. «Tal vez no debería disimular mi estado, pues así probablemente la impresionaría más», pensó.

—¿Qué es lo que quieres?

Su tía se expresó en un tono tan poco amistoso que Valentine no se atrevió a empezar pidiéndole dinero.

—Perdí a mis padres cuando tenía diez años —comentó con cierto dramatismo.

—Ya lo sé. Se trataba de mi hermano y mi cuñada —replicó tía Diane.

—Y ahora...

—Ahora te has convertido en un inútil. Eres un drogadicto. Has llegado a robar y te ha detenido la policía. Lo sé todo sobre ti. ¿Crees que Jack y Annie podrían haberlo mantenido en secreto? Han sufrido terriblemente.

—Estoy enfermo... —susurró Valentine. Aquello había dado resultado con anterioridad.

—Tonterías —replicó tía Diane—. No tienes temple. Así nunca llegarás a ser un hombre.

«Qué anticuada era su tía», pensó Valentine mientras temblaba. *No tienes temple. Así nunca llegarás a ser un hombre.* Aquellas palabras penetraron en su aturdida conciencia y se alojaron en su cerebro. *No tienes temple. Así nunca llegarás a ser un hombre.*

—Supongo que has venido en busca de dinero —dijo tía Diane.

El muchacho asintió con la cabeza.

—Pues aquí no lo vas a encontrar.

—Me volveré loco si no consigo una dosis.

—Te volverás loco si la consigues.

—Dejaré la droga, te lo prometo.

¿Cuántas veces había dicho eso Valentine? Cada vez que había pronunciado aquellas palabras, una voz desde el fondo de su conciencia le había dicho que eso nunca llegaría a suceder, y que ni siquiera quería realmente librarse del hábito.

—Bien —dijo tía Diane—. Es una idea excelente.

—Entonces dame dinero suficiente para una última dosis, por favor.

Un atisbo de simpatía iluminó el semblante de su tía. La rigidez que mostraban las arrugas de su boca pareció suavizarse y Valentine se aferró a aquella señal como un hombre que estuviera ahogándose lo haría a un madero flotante.

—Sólo una más —suplicó el muchacho.

La compasión se desvaneció y el rostro de su tía se endureció de nuevo.

—No me tomes por tonta, jovencito, ni tú te hagas el tonto. Mi dinero no puede ayudarte. Sólo te empujaría algo más hacia el arroyo. Tú eres el único que puede ayudarse a sí mismo. Me atrevo a decir que te será difícil dejar el hábito, por decirlo de algún modo —la frase sonaba extraña procedente de sus labios—. Quien mal empieza, mal acaba, como dice el refrán.

—Por favor... —rogó Valentine una vez más.

—Eres una criatura pusilánime —exclamó la mujer desdeñosamente.

Entonces se tiró al suelo, fingiendo un desvanecimiento. Pero no era fácil engañar a una anciana de setenta y cinco años que se había pasado toda la vida pisando tierra firme, lejos de Amsterdam; que creía en la Iglesia, así como en la decencia y en ella misma.

—Levántate —dijo tía Diane secamente.

—Estoy enfermo —gimoteó Valentine.

—Vete con tu enfermedad a otra parte.

Su tía le agarró y le sentó en una silla. «Caramba, sí que es fuerte», pensó Valentine. La odiaba, pero al mismo tiempo deseaba sentir sus poderosos brazos que le apretaran maternalmente contra su firme regazo.

—Es hora de que te marches —dijo su tía—. ¿Sacaste billete de ida y vuelta?

—Vine en auto-stop.

Tía Diane se puso un abrigo pasado de moda y cogió su bolso.

—Vamos. Te llevaré a la estación —dijo.

Caminaba al lado de su tía, arrastrando los pies. Tía Diane daba pasos cortos, medio paso delante del chico y avanzando a un ritmo que a ella le parecía muy lento. En cuanto llegaron a la estación, la buena mujer sacó un billete para su sobrino hasta la capital.

—Es mejor que no hagas auto-stop en tu estado —le dijo tía Diane, subiéndole al tren como si fuera un fardo—. Ahora haz lo que has prometido. Deja la droga. Tan pronto como lo hayas conseguido, serás bienvenido a mi casa, pero no antes.

No aguardó a que saliera el tren, sino que se limitó a despedirse de Valentine con una inclinación de cabeza y regresó a casa a continuar planchando. *No tienes temple. Así nunca llegarás a ser un hombre.* Esas palabras siguieron resonando en la mente de Valentine. Palabras con ecos victorianos. Encogido en un rincón de su compartimento, era como si la costra que había recubierto su conciencia durante años se acabara de desprender. Aunque iba gimoteando por los dolores de estómago y todo su organismo clamaba por liberarse de la droga, Valentine se vio a sí mismo por vez primera como lo veían los demás: un desgraciado, un estorbo y un ser inútil, tal y como le había calificado tía Diane. Ella tenía razón; nunca llegaría a ser un hombre. Se moriría antes de cumplir los veinte años.

Una vez en Amsterdam se fue directamente a ver a un hombre que ya había tratado de ayudarle con anterioridad, un tal Ben Vroege.

—Quiero dejar la droga, Ben —dijo Valentine—. Por favor, ayúdeme.

—¿Lo dices en serio? —Ben había aprendido a ocultar su escepticismo.

—Sí. Pero no sé si seré capaz. Dicen que cuando la gente se marea en un barco, primero tienen miedo de morirse; luego les aterra el que eso no va a ser verdad. Lo mismo que a mí me pasa ahora, sólo que cien veces peor.

—Te daré algo de metadona —dijo Ben.

—No quiero metadona —se quejó Valentine—. Eso es una droga. Quiero ser alguien de nuevo. Enciérreme en un cuarto. Áteme a la cama si es preciso. Déme lo que quiera para aliviar el dolor, pero no otra droga. Si me pongo a destrozarlo todo, déjeme sin sentido de un golpe. Haga lo que le parezca oportuno, pero nada de drogas.

—Es duro, muy duro —replicó Ben—. Muy pocos lo consiguen. Podrías perder la vida en el intento.

—Quiero hacerlo —aunque la voz de Valentine era muy débil, en su interior podían oírse los gritos de su tía Diane. Valentine los oía con claridad.

—Muy bien —dijo Ben, haciendo un esfuerzo para creerle.

Vivió una semana espantosa. Sufrió diarreas y terribles retortijones de estómago. Se pasó gran parte del tiempo escondido en un rincón de su habitación, sentado en el suelo, encogido y con los brazos cruzados sobre el vientre. O se echaba en la cama temblando, sudando y rechinándole los dientes, como si le hubiera dado una fiebre altísima.

—Déme algo, Ben, por el amor de Dios —susurraba el muchacho.

—Pero si no quieres nada... —replicaba su amigo.

—No. No, es verdad.

La herida que había estado enconándose bajo la costra desde el día del accidente aéreo que costó la vida a sus padres quedó ahora expuesta al aire y los tejidos interiores comenzaron a cicatrizar perfectamente. Así renació en él el chico reflexivo y voluntarioso que Valentine había sido en otro tiempo.

Los temblores fueron remitiendo y comenzó a dolerle menos el vientre. Se quedó exhausto, durmiendo todo el tiempo, despertándose únicamente para comer lo que Ben le traía. Seguía padeciendo ataques, pero ya sólo eran de miedo, miedo al futuro. Se trataba de un temor irracional a tener que pasar de nuevo por la horrenda experiencia vivida a lo largo de aquella semana.

—¿Cree que seré capaz de mantenerme apartado de las drogas, Ben?

—Estoy seguro de que podrás. Nunca he conocido a nadie que haya hecho lo que tú acabas de hacer, jamás.

—Estoy cansado.

—¿Te sorprende? Es más difícil conquistarse uno mismo que toda una ciudad. Vuelve a dormirte. Te sentirás más fuerte dentro de un par de días.

—Gracias por ayudarme, Ben. Nunca lo habría logrado sin usted.

—Ahora duérmete.

Una vez que estuvo curado, Valentine regresó a casa de tío Jack y tía Annie.

—He dejado las drogas —dijo el muchacho—. Siento mucho todo lo que os hice pasar.

Tío Cor mostró claramente su alegría y tía Annie le dio un beso, pero pudo notar que no le acababan de creer. Sus tíos no estaban del todo seguros, y no podía reprochárselo. Habían sucedido demasiadas cosas.

—Deseo volver al instituto —les dijo.

—Por supuesto, hazlo.

Valentine pensó que sería prudente el vivir solo. Les resultaría imposible a todos fingir que el chico no había sido nunca drogadicto; perdonar no es lo mismo que olvidar. Encontró una buhardilla en alquiler en el Keizersgracht, calurosa en verano y fría en invierno. Acababa de cumplir los dieciséis años, pero parecía un adulto. Tío Jack le señaló una asignación, una mínima cantidad de dinero con la que tendría que arreglárselas.

En el instituto se portaron fenomenalmente con él. En lugar de obligarle a asistir a clase junto con todos los demás chicos, le permitieron trabajar por su cuenta en su buhardilla. Durante nueve meses estudió como un loco. De vez en cuando profesores le daban clases particulares, corregían sus trabajos y le facilitaban libros.

—¡Quién lo habría creído! —se decían los maestros entre sí al observar sus rápidos progresos.

Cuando se inició el nuevo año escolar, Valentine fue admitido en el curso siguiente. Estaba tan cambiado que parecía como si se hubiera sometido a un lavado interior. Era el muchacho que habría sido si sus padres no hubieran muerto, salvo que era más maduro a causa de las durísimas experiencias vividas. Al cabo de un mes sus compañeros de clase le trataban como a un líder. Valentine hablaba en representación de todos ellos, confiada y cortésmente, si, por ejemplo, a la clase le ponían demasiados exámenes en una semana.

Vale la pena señalar lo que pasó en Biología. El profesor no podía mantener el orden en clase. En cuanto entraba en el aula, los alumnos se ponían a zumbar como si se tratase de un enjambre de moscardones. El pobre hombre no sabía cómo imponerse. En la primera clase Valentine se puso a hacer el moscardón como todos los demás, resultándole hasta divertido. En la segunda se le ocurrió formular seriamente una pregunta acerca de la división celular. La clase enmudeció asombrada y el profesor se lo explicó muy bien.

—Vamos a dejar de hacer el moscardón —dijo Valentine a sus pasmados compañeros en el recreo—. Willemse tiene muchísimas cosas interesantes que enseñarnos; me gustaría aprenderlas.

Así cesó aquella situación desagradable.

El curso siguiente Valentine fue nombrado representante de los alumnos en el consejo escolar. Se encargó de la organización de las fiestas escolares, de la publicación de la revista del centro y de que la asamblea de alumnos funcionara. Valentine aprendió rápidamente a delegar la mayoría de las funciones en sus compañeros, delegados de curso, dedicándose él a supervisar todas las actividades.

Los momentos en que más disfrutaba como representante de los alumnos era cuando podía hablar a todos sus compañeros de instituto. En cuanto se dio cuenta de que era capaz de hacerlo, venció rápidamente los nervios y hablaba sin tener delante papel alguno.

Llegó a captar y mantener la atención de un salón de actos repleto de alumnos y profesores. Aprendió cómo aumentar la expectación de sus oyentes intercalando pausas en el momento oportuno, bajando el tono de voz inesperadamente y repitiendo algunas frases con el fin de reforzar el efecto dramático. Por ejemplo: «El viaje escolar no será a París este año. Ni a Londres. Ni a Utrecht». Sólo entonces les revelaba cuáles eran sus planes.

—Es un polemista nato —comentaba el profesor de lengua—. Ese muchacho se ordenará sacerdote o se dedicará a la política.

Valentine comenzó a trabajar con más tranquilidad que

antes, pero continuó sacando notas. Los profesores se olvidaron de los problemas que en otro tiempo habían anulado la personalidad de aquel alumno. A los nuevos les resultaba difícil creer que Valentine de Boer había sido un drogadicto. Les tenía perplejos constatar cuánta influencia podía ejercer un solo alumno sobre todo el instituto. Los alumnos estudiaban más y las fiestas eran más divertidas. Y menos profesores faltaban a clase por enfermedad.

—Es una cuestión de liderazgo —decía el director del colegio—, de buen liderazgo. Un alumno podrido puede echar a perder a todos sus compañeros. Valentine ha demostrado que lo contrario también puede darse.

Un sábado por la tarde, cuando Valentine llevaba alrededor de un año viviendo solo, oyó cómo alguien subía decididamente las escaleras que conducían a su buhardilla. Se trataba de tía Diane, con su olor característico a cera de abejas y hierbabuena. Encontró a su sobrino enfrascado en un problema de electricidad sobre corrientes alternas.

—¡Hola, tía Diane! —dijo Valentine a modo de saludo.

La mujer se sentó frente a su sobrino al mismo tiempo que se frotaba suavemente la frente con un pañuelo impregnado de colonia; no estaba acostumbrada a subir escaleras.

—Acabo de recibir la noticia de que lo has conseguido —dijo tía Diane.

—No tienes temple. Así nunca llegarás a ser un hombre —replicó el muchacho, repitiendo las palabras de su tía.

—¿Dije yo eso?

—Así es, tía.

—Pues estaba equivocada.

—No, no lo estabas. Si no hubieras llegado a decírmelo, habrías tenido razón. Es toda una paradoja, ¿no es cierto?

—Estás convirtiéndote en el vivo retrato de tu padre —dijo la mujer

—Espero que de mi madre también. Quiero que ambos sigan viviendo en mí.

—Así será —replicó tía Diane—. Y honrosamente, además.

Tía Diane insistió en alquilar una vivienda algo mayor para Valentine. Dijo que no tenía parientes ni amigos a los que dejar su dinero en herencia y que prefería gastárselo en vida.

De esa forma en sus últimos años de instituto Valentine se pudo desenvolver mejor económicamente. Tenía una buena habitación con una pequeña cocina, donde podía recibir a sus compañeros del consejo escolar, y durante las vacaciones de verano se trasladaba a Inglaterra a visitar a los familiares de su madre.

Valentine aprobó el examen final de grado con muy buenas notas; un nueve en lengua inglesa. Tenía diecinueve años; era un poco mayor que la media de su clase. Se matriculó en la universidad para estudiar filología inglesa, con vistas a iniciar su carrera en septiembre.

2

EL antiguo comisario Keizer dejó el balcón y volvió a entrar en su despacho. Había notado que una de las plantas estaba marchitándose, pero sus rosas habían estado en su plenitud aquella semana. Corrió una cortinilla y sacó un carrito con una consola con ruedas sobre la que descansaba su ordenador personal Philips P2000-T. Lo encendió, tecleó un par de palabras de código y, a continuación, la instrucción START. En la pantalla aparecieron lentamente los nombres, direcciones y otros detalles de alrededor de setenta jóvenes que vivían en Amsterdam y en sus contornos. Cuando consiguió el nombre de Ellie Haverman, Keizer detuvo el programa, apretó una tecla y leyó la información referente a la joven.

—No —musitó—. No es la adecuada. Me parece que no.

El ordenador reanudó el listado en el monitor. Arnold Kompaan, Hans van Klaveren, Monique de Lange, Dorothy van Nienen, Jeroen Nolen.

—Casi todos ellos cumplen los requisitos, pero no del todo —dijo Keizer en voz alta.

En el fondo sabía que volvería a detener el programa en Paul van Ravenswaai, y que la verdad era que ya había hecho su elección. No obstante siguió preguntándose si no podría contar con alguna otra persona más adecuada, y cometer una equivocación por no haber estudiado los detalles con la suficiente atención. De cualquier modo, Keizer no disponía en su fichero de información detallada de todos los jóvenes. En algunos casos había analizado los detalles preliminares para descartar inmediatamente a los implicados como personas inadecuadas. En otras ocasiones había reunido más datos o pedido a otros que lo hicieran por él. Y en unos pocos casos conocía todo lo que había que conocer.

—Leo está aquí —le informó su esposa a través del intercomunicador.

—Ya sabe el camino —respondió Keizer.

Momentos después la puerta se abrió unos cuantos centímetros y Leo penetró en la estancia. No abría nunca las
puertas más de lo estrictamente necesario.

—Soy yo —dijo Leo con voz cansina, y se sentó, o más bien
se desplomó sobre el sillón de cuero que le indicó Keizer.

—¿Y bien?

—Valentine de Boer se va a Inglaterra dentro de seis días.
Pasará allí un mes; se alojará en casa de unos parientes. Esca-
lará el monte Ben Nevis, en Escocia, que no es realmente muy
alto —añadió Leo.

—¿Estás seguro de que no me fallará? ¿No habrá cambiado de planes y se habrá marchado esta mañana?

—Tiene una reserva en el *ferry* nocturno del domingo que
zarpa del Cabo de Holanda con destino a Harwich.

—Bien. En ese caso podemos concentrarnos por el momento en el expediente de Paul van Ravenswaai. ¿Se marcha
también de vacaciones?

—Todavía no; al menos no muy lejos. Vienen sus padres de
Costa de Marfil en agosto; querrá estar aquí para entonces.

—¿Ha aprobado?

—Sí, aunque a duras penas. Sólo le ha quedado una redac-
ción en francés para septiembre.

—Lo que, conociéndole, significa que la hará inmediatamente —asintió Keizer con la cabeza—. Paul no se marcharía
sin haber acabado antes su trabajo.

—Probablemente, no —replicó Leo, encogiéndose de hombros. No acababa de entender aquellas prisas por acabar los
deberes escolares.

—¿Y todo lo demás? —preguntó Keizer.

—Todo es absolutamente verídico. No hay una sola men-
tira en todo este asunto, ni siquiera una exageración. En realidad, casi lo contrario. Han hecho todo lo posible para quitar
hierro al asunto. Su padre es una joya de hombre.

—Querrás decir una joya de barón —replicó Keizer.

—Efectivamente —dijo Leo.

El antiguo comisario se levantó y recogió la carpeta de Paul van Ravenswaai del armario. Se puso a garabatear lo que Leo le había contado y, cuando terminó, depositó el expediente sobre el montón de papeles de su mesa.

—¿Hay algo más? —preguntó Leo.

—Nada más, por el momento. No te preocupes, que te necesitaré de nuevo enseguida. ¿Qué tal andas de dinero?

—Estoy sin blanca.

—Aquí tienes cien florines. Te haré una transferencia bancaria a tu cuenta por la cantidad restante que te debo.

—Gracias —sonrió Leo—. Siempre que tengo tiempo libre y la cartera vacía me dan tentaciones de convertirme en ratero. ¿Lo sabía, comisario?

—La verdad es que no tenía ni la menor idea.

—¿Vengo mañana?

—No; ya te lo haré saber, si te necesito.

—Hasta la vista, entonces.

—Adiós, Leo. No conduzcas demasiado deprisa. ¡Ah! Y no te olvides de revisar los frenos.

—Nunca conduzco demasiado deprisa. Además, el estado de mi coche es excelente. ¿Le gustaría ver unas fotos de derrapajes?

Cuando se marchó Leo, Keizer volvió a mirar la carpeta una vez más y tomó una determinación.

EL CASO PAUL VAN RAVENSWAAI

Cuando el joven Eduard Gotfried, barón de van Ravenswaai, eligió esposa fue tras larga deliberación, como le sucedía con todo lo que hacía. Debía ser inteligente, una buena madre para los hijos que deseaba tener. Tenía que estar en condiciones de desenvolverse bien en sus círculos sociales, tener facilidad para los idiomas y, a ser posible, ser cariñosa y amable. Su elección recayó en la honorable Henriette Dendermonde, una joven de buena familia que se había educado en una serie de internados extranjeros; su padre trabajaba en las Naciones Unidas. Era atractiva, aunque él personalmente creía que su estatura de un metro ochenta y cinco centímetros era algo excesiva para una chica.

El barón le llevó un ramo de gladiolos. Fue una equivocación, ya que ella prefería las rosas por considerarlas más apropiadas para una joven. A continuación Eduard solicitó a Henriette en matrimonio. El joven barón estaba acostumbrado a salirse siempre con la suya, por lo que se quedó bastante sorprendido cuando ella le rechazó en un principio. Al final se salió con la suya, pero sólo un mes más tarde. Aquello fue algo sintomático de lo que habría de ser su matrimonio; a lo largo de los treinta años que vivieron como marido y mujer, ella le contrarió a menudo, cortés, pero firmemente. Esta actitud de su esposa le ayudó a madurar como persona.

La pareja tuvo dos hijas que los acompañaron a Tailandia, Canadá y a otros países a los que era destinado el barón en su condición de diplomático. Papá van Ravenswaai era severo pero justo, y gozaba del respeto de su familia tanto como del de sus compañeros del cuerpo diplomático. Las chicas eran obedientes y trabajadoras, aprendiendo pronto a hablar con corrección.

Les nació un hijo. Naturalmente, le pusieron el nombre de Paul Gotfried, como su abuelo. Cuando Paul tenía cuatro años, hubo una grave desavenencia entre padre e hijo. Fue por una tontería: una gorra que llevaba puesta el niño. Por aquel entonces, la familia residía en Holanda. Un domingo por la tarde fueron todos de paseo a un bosque próximo a La Haya, donde tropezaron con un conocido del barón, un funcionario público de alto rango del Ministerio de Asuntos Exteriores.

—Paul, quítate la gorra —dijo el barón a su hijo. El pequeño hizo un movimiento negativo con la cabeza. Su padre le dió un golpecito con el codo e insistió—: Quítate la gorra delante del caballero, Paul.

—No —replicó el niño.

Lo último que deseaba el barón era tener una escena delante de un extraño. Aguardó hasta que regresaron a casa para ventilar la polémica.

—¿Viste cómo me quité el sombrero delante del caballero? —preguntó—. Lo hice de este modo, ¿ves? Así es como uno se descubre a modo de saludo. ¿Comprendes? —Paul no dijo nada—. ¿Lo has entendido?

—Déjalo —exclamó Henriette—. ¿Cuándo va a necesitar volver a hacerlo?

Sin embargo, al poco tiempo se vieron en una situación semejante. Una vez más el barón rogó a su hijo que se quitara la gorra y éste se negó de nuevo a hacerlo. Tal vez pensaba que aquello era una tontería. Su vocabulario seguía siendo demasiado limitado para explicar el motivo de su negativa. O no quería explicarlo. De todas formas la gorra siguió bien encasquetada en su cabeza.

Esta vez el barón se indignó:

—Vas a aprender a hacerlo —le dijo al crío—. Quítate la gorra delante de mí.

—No —replicó Paul.

Esto era algo nuevo. Jamás, hasta entonces, el chico había desobedecido abiertamente a sus padres. Para el barón era una novedad el que alguien se le enfrentase de ese modo. Sin llegar a perder el dominio de sí mismo, se enojó enormemente.

—Vete a tu cuarto y no salgas hasta que hayas aprendido a quitarte la gorra.

Paul se metió en su habitación y permaneció en ella durante horas enteras con la gorra puesta, lo que para un niño pequeño resulta difícil de aguantar. Antes de la hora de acostarse le llamó su padre y le preguntó:

—¿Quieres quitarte la gorra? —Paul negó con la cabeza. Las lágrimas asomaron a sus ojos, pero supo contenerlas—. ¿Por qué no?

—Pues porque no quiero.

—Estarás sin comer hasta que te la quites.

El barón iba a lamentar aquellas palabras. No conocía a su hijo lo suficiente. El niño se quedó sentado en su cuarto todo el día siguiente, con la gorra tercamente puesta en su cabeza. No le dieron de comer. Estaba pálido, pero su gesto de obstinación no se alteró.

Sus dos hermanas mayores le observaban con admiración. Nunca se habrían atrevido a hacer lo que el pequeño Paul estaba haciendo. Henriette comenzó a intranquilizarse; entró silenciosamente en el cuarto del niño y se sentó en su cama. El pequeño recostó su cuerpecito contra ella.

—Haz lo que te manda tu padre —dijo suavemente. Al pequeño se le escapó un sollozo—: Vamos, bajaremos juntos —dijo su madre.

Henriette le condujo de la mano al piso bajo. Cuando el niño estuvo de pie frente a su padre, su madre le hizo una señal de aliento con la cabeza:

—Vamos —dijo.

Paul siguió negándose a quitarse la gorra. El niño se esforzaba por no echarse a llorar. Su rostro parecía haberse reducido de tamaño en aquel día y medio y su palidez era más intensa. Aquello pareció conmover el corazón del barón. Su enfado cedió paso al orgullo de ver que su hijo se atrevía a desafiar a todo un hombre como él.

—Eres un niño testarudo —dijo—. Dame esa gorra que llevas puesta. No quiero volver a verte con ella en la cabeza nunca más —Paul se apoyó en la rodilla de su padre mientras arrojaba la gorra al fuego y contemplaba cómo era devorada por las llamas.

Más adelante Paul aprendió a encontrar las palabras con las que manifestar su decisión de hacer o no hacer algo. No le venían a la boca con facilidad; su mente era lenta, pero clara. En su segundo año en la escuela primaria, antes de llegar a saber cómo expresarse con propiedad, tuvo discrepancias con la maestra acerca de una goma de borrar que ella le había pedido que le entregara. El niño se negó a hacerlo. Era su goma; se la había regalado la hija del dueño de la tienda de verduras, una niña de seis años, de la que estaba enamorado, pues era muy simpática y tenía pecas.

La maestra se lo tomó muy en serio. Conocía al barón y estaba segura de que no toleraría las desobediencias del niño. Estaba equivocada. El asunto de la gorra había cambiado sustancialmente las ideas del barón.

—Por supuesto, en principio usted tiene razón, señorita Spijkerboer —le dijo pacientemente el barón cuando recurrió a él—. Hablando en términos generales, al menos. Pero existen excepciones a la regla. ¿Fue correcto obedecer a Hitler? Todos sabemos muy bien que no.

—Con todos mis respetos, señor —replicó la señorita Spijkerboer—, ¿no cree que es ir demasiado lejos comparar la entrega de una goma con los crímenes de la Segunda Guerra Mundial?

—De lo que estamos tratando aquí es de un principio —contestó el barón—. Si el cumplimiento de una orden va contra la conciencia de uno, éste no tiene obligación de obedecerla.

«¡Cielo santo! —pensó la señorita Spijkerboer—. Un principio... la conciencia... y todo por una simple goma de borrar.» El caso es que la profesora se olvidó del tema y Paul pudo quedarse con su goma.

Paul no siguió siendo un niño testarudo mucho tiempo. Se convirtió en un chico grandón, pero más testarudo todavía. De su madre heredó la estatura. Cuando cumplió diez años medía un metro setenta; y no es que fuera simplemente larguirucho: era también corpulento, ancho de hombros y fornido. Resultaba un poco chocante verle junto a los demás alumnos del primer ciclo de estudios primarios. Le pusieron en la última fila de pupitres. Paul permaneció allí sentado, mirando a todo el mundo, como si fuera un estudiante de la Escuela de Magisterio en período de prácticas.

Los demás alumnos le tenían un poco de miedo. Paul era tan fuerte comparado con ellos que no tenía el menor aliciente pegarse con él. Al principio no comprendía qué trataban de hacer sus compañeros y les dejaba que le zarandearan un poco sin responder a sus provocaciones. Cuando al final se daba cuenta de que lo que buscaban era una pelea en broma, los derribaba de un simple manotazo y luego les pedía disculpas. Era lento de comprensión y sólo comenzaba a hacerle gracia un chiste cuando los demás ya habían pasado al siguiente. Tanto los alumnos como los profesores le encontraban un poco raro y tendían a dejarle solo.

Las cosas mejoraron en el instituto. La estatura de Paul ya no le hacía destacarse tanto; los chicos le tomaban por un alumno de los cursos superiores. Siguió creciendo; el profesor de gimnasia le propuso entrar en el equipo de baloncesto. Aquello le vino de maravilla. No tenía visión de las jugadas, pero era un alero formidable y un gran encestador a distancia. Si recibía la pelota cuando se encontraba cerca de la canasta, resultaba espectacular ver los movimientos de su corpachón.

Sus hermanas habían contraído matrimonio: la mayor con un inspector de Hacienda y la otra con un funcionario del Ministerio de Asuntos Exteriores. El barón y la baronesa se habían trasladado a Costa de Marfil, donde van Ravenswaai ocupaba el cargo de embajador, la clase de destino que siempre había anhelado. Hasta entonces sus hijos siempre habían viajado con ellos al extranjero; pero esta vez era importante que Paul se quedara a finalizar su período de escolarización. Ingresó en un internado de Amsterdam: Torton Hall. Los internos lo habían bautizado por su cuenta con el nombre de la «Cámara de Tortura». La mayoría de los padres de los demás muchachos trabajaban en ultramar, como diplomáticos o ejecutivos de grandes multinacionales.

Paul entabló amistad con un chico que era opuesto a él en muchos aspectos: Toby Hogenhout era pequeño, enérgico, exuberante, de pelo rizado y mirada risueña. Su padre trabajaba en Venezuela, en la Shell. En ocasiones Toby llamaba a su íntimo amigo gorila, pero más a menudo niño testarudo, tras haber oído al padre de Paul dirigirle ese apelativo durante unas vacaciones.

Paul y Toby tenían una cosa en común: su pasión por el ajedrez. Era asombroso contemplar a un muchacho tan nervioso como Toby sentado toda una tarde y absolutamente inmóvil ante el tablero de ajedrez, con el ceño fruncido y pellizcándose el labio inferior.

A menudo subían a la torre, una habitación abovedada y con muchas ventanas, situada en el último piso del internado, para jugar sin que nadie los molestara. En realidad, aquella habitación no estaba comprendida en la lista de los lugares a los que tenían acceso los internos. Oficialmente se trataba de una biblioteca, pero de hecho los mejores libros habían sido trasladados a una sala de mayores dimensiones situada en la planta baja.

Paul ya casi tenía diecisiete años y medía uno noventa y ocho. Calzaba zapatos del cuarenta y seis. Aunque se adivinaba su fuerte musculatura, nunca la empleaba de forma agresiva. Eso sí, disfrutaba haciendo alarde de ella siempre que hubiera que levantar algún objeto pesado.

—Esto no es para mortales corrientes, sino para el niño testarudo —exclamaba Toby alegremente—. Apártense, por favor, caballeros —y todos observaban con admiración cómo Paul levantaba la nevera o apartaba el piano a un lado.

Un día se produjo un acontecimiento con tintes dramáticos. Habían desaparecido cuatro mil florines del despacho del director, donde se guardaban bajo llave. Alguien había forzado el candado con una herramienta parecida a un destornillador de gran tamaño. El director acusó a Toby, pues todas las pruebas parecían apuntar hacia él. Había estado presente cuando el director guardó el dinero y también había sido una de las pocas personas que se encontraban en el edificio la tarde en que se cometió el robo. Lo que realmente inclinó la balanza contra él fue el hallazgo de casi tres mil florines escondidos bajo un montón de ropa en su taquilla. Era una cantidad de dinero desproporcionada, incluso para los muchachos más ricos del internado.

—Lo gané jugando —explicó Toby.

—¿Jugando? ¿Dónde?

—En el casino.

—¿Cómo entró en el casino?

—Me llevó mi tío —respondió Toby.

—¿Estaba su tío con usted cuando ganó todo ese dinero?

—No; en aquel momento estaba jugando en una mesa aparte.

—Sabrá, por supuesto, que no tiene autorización para entrar en el casino —dijo el director.

—Ésa es la razón por la que oculté el dinero.

—Iremos allí a ver si pueden confirmar su versión de los hechos —dijo el director.

En el casino no recordaban nada. El chico podría haber jugado allí; realmente no podían recordarlo. Sin embargo, lo consideraban muy improbable, puesto que no se admitía a menores de edad. Es posible que no quisiesen acordarse para evitarse líos.

El director no quiso llamar a la policía para no poner en peligro la reputación de Torton Hall. Envió una carta a Venezuela informando a los padres de Toby de que el chico iba a ser expulsado y pidiendo a los señores Hogenhout que comunicaran al internado lo antes posible a qué lugar podían mandar a su hijo.

—Yo no robé ese dinero —aseguró Toby a Paul, desesperado.

—¿Cómo lo conseguiste?

—Lo gané jugando. Es la pura verdad.

—¿Por qué no me lo contaste?

—No lo sé. Supongo que estaba avergonzado. Estaba bastante seguro de que no aprobarías mi conducta —Paul asintió con la cabeza—. Te hablé de aquella ocasión en que fui con mi tío, ¿recuerdas? Perdió doscientos florines. Entonces se me ocurrió volver por mi cuenta. Sólo una vez. ¡Fíjate, tenía cincuenta florines en el bolsillo y gané dos mil ochocientos! Llegué a preocuparme porque, ya sabes, cuando ganas sientes deseos de regresar a probar suerte de nuevo. Por eso escondí el dinero y no hablé con nadie sobre el asunto.

—¿Acaso los amigos no están para eso, para compartir esa clase de secretos? —preguntó Paul prudentemente.

—Supongo que sí.

—¿No te preguntó el director por qué había mil florines de menos en tu taquilla? —inquirió Paul—. Después de todo, fueron sustraídos cuatro mil florines, y no dos mil ochocientos.

—Pensaría que ya me los había gastado o que los habría escondido en alguna otra parte. Pero la verdad es que yo no los robé; te lo juro.

—Por supuesto que no los robaste —dijo Paul, sin la menor sombra de duda en la voz—. Tendremos que averiguar quién lo hizo.

Eso era más fácil de decir que de hacer, y el director no quiso esperar. Toby se fue a vivir a casa de unos amigos de sus padres, situada en la calle Beethoven. La noticia de su presunto delito se difundió, y cuando llegó a los oídos de sus compañeros de colegio, éstos comenzaron a tratarle de distinta manera. Toby era perfectamente consciente de su cambio de actitud y la risa se desvaneció de su semblante.

Mientras tanto, Paul puso cuidadosamente manos a la obra, tratando de desenmascarar al culpable de aquella fechoría. ¿Quién había estado en las proximidades del estudio del director aquella tarde? Paul acabó haciendo una lista de cinco internos. Cuatro eran inocentes. No quería que se dieran cuenta de que sospechaba de ellos, pues ya había visto en la persona de Toby lo terrible que eso podía ser, por lo que no dijo nada acerca de sus averiguaciones. Ya no se trataba solamente de una cuestión de robo, sino también de limpiar el nombre de su amigo. Paul aguardó el momento propicio.

Un mes más tarde Jan-Hein de Winter se compró una vespino. Con sus ahorros, según dijo. Paul no tenía muy buen concepto de Jan-Hein; nunca miraba directamente a la cara. Podía haber sido el ladrón.

—Tengo que preguntarte algo —le dijo Paul con su tono cauto y circunspecto.

—¿De qué se trata?

—¿Te das cuenta de que Toby tiene la sensación de que le han jugado una mala pasada? —Jan-Hein se encogió de hombros.

—Pues que no hubiera robado.

—Él no lo hizo —replicó Paul.

—Claro que sí.

—Te digo que no lo hizo.

—¿Y a mí qué me cuentas?

—Escucha —añadió Paul—. Le echaron la culpa porque descubrieron una gran suma de dinero en su taquilla y porque estaba en el internado aquella tarde. Pero tú también estuviste, y tenías igualmente mucho dinero.

—No puedes probar nada —contestó Jan-Hein.

Fue el tipo de respuesta clásica y equivocada. Paul había esperado que Jan-Hein dijera: «Pude ser el culpable. Pero te juro que no lo fui. La verdad es que ahorré dinero para adquirir una vespino. Todo el mundo sabía que estaba ahorrando». *No puedes probar nada*. Se equivocó al responder así.

Paul no le hizo ninguna pregunta más, pero no le quitaba la vista de encima, a veces durante minutos enteros, aguardando el día en que dijera: «¡Deja de mirarme de ese modo! ¿Crees realmente que permitiría que echaran la culpa a Toby si yo fuera el responsable del robo? No estás en tu sano juicio».

Pero Jan-Hein no dijo nada. En realidad, evitaba a Paul. En las comidas se cercioraba de que su asiento diera la espalda a Paul. Éste llegó gradualmente al convencimiento de que Jan-Hein había sido realmente el ladrón y se pasaba los días cavilando sobre la forma de poder llegar a demostrarlo. Pero no había evidencia alguna contra él.

Una vez, Paul estaba vigilando a Jan-Hein oculto tras un árbol del patio cuando Toby le vio y le comentó alegremente:

—Oye, gorila, ¿vas a arrancar ese árbol del suelo? —a Paul le decepcionó la actitud de Toby.

Paul decidió revelar al director de Torton Hall sus sospechas, pero no llegó a convencerle. El director se limitó a decirle:

—Le agradezco sus buenas intenciones, Paul. Ya sé lo íntimos amigos que eran Toby y usted.

—Y seguimos siéndolo —Paul le corrigió con firmeza.

—Sí, por supuesto. Perdóneme. Imagino que siguen viéndose en el instituto.

—El que sea mi amigo no tiene nada que ver en este caso —dijo Paul—. Nadie debería ser condenado por un delito que no ha cometido.

—Por supuesto, por supuesto —replicó el director—. Pero Toby era culpable. Existían pruebas.

—Eso no es cierto —replicó Paul con obstinación.

—Bueno, en cualquier caso no existe prueba alguna que involucre a Jan-Hein.

Es un hecho positivo que muchos jóvenes no acepten las injusticias. Mucha gente mayor también las detesta, pero tienen lugar tantas injusticias en el mundo que los mayores tienden a acostumbrarse a su existencia y las toleran. Paul van Ravenswaai sentía un amor inconmovible por la justicia. No podía olvidarse de la faena que le habían hecho a su amigo

Toby. Se dormía y se levantaba siempre con la misma idea en su cabeza.

Un día Paul logró coger por su cuenta a Jan-Hein en el dormitorio. Éste trató de escabullirse por la puerta, pero Paul le cortó el paso con toda su corpulencia.

—Dime la verdad —le dijo amenazadoramente.

—Déjame salir.

—No, hasta que me hayas contado la verdad.

—Déjame en paz. No tengo nada que ver con el robo.

—Estás mintiendo.

—¿Cómo puedes saberlo?

—Te digo que mientes —Jan-Hein advirtió con nerviosismo cómo Paul apretaba los puños y retrocedió hasta sentarse en el borde de una cama.

—Si me pegas gritaré hasta que toda la «Cámara de Tortura» me oiga y acuda en mi ayuda —dijo Jan-Hein.

Paul se dio cuenta de que tenía una tentación irresistible de estrellar su puño contra el rostro de aquel hipócrita que estaba frente a él. Sus deseos se reflejaban claramente en los ojos asustados de Jan-Hein.

—Si estás tan asustado que te lo vas a hacer en los pantalones, vete a sentarte en tu propia cama —dijo Paul burlonamente. No iba a golpear a Jan-Hein, aunque se acercó a él amenazadoramente y, agarrándole por los hombros, le dijo—: Mírame a la cara y repite una vez más que eres inocente.

Jan-Hein volvió la cabeza a un lado.

—Déjame en paz.

—De modo que sí que lo hiciste —dijo Paul.

Paul salió del dormitorio y bajó a desayunar. No pudo saborear su huevo, que estaba en su punto exacto. Era como si su estómago estuviera lleno de rabia contenida, no quedando espacio en él para ninguna otra cosa, ni siquiera para un huevo pasado por agua.

Una semana más tarde, un martes, Jan-Hein fue despertado a las cinco de la madrugada por una mano que le tapaba la boca y una voz que le susurraba:

—Calladito y levántate de la cama.

Jan-Hein fue sacado medio a rastras del lecho y conducido

a empujones hacia la puerta. Un par de muchachos se revolvieron en sus camas, musitando algo como que la gente estaba loca, antes de conciliar el sueño de nuevo.

—¿Qué haces? —preguntó Jan-Hein, cuyos sentidos seguían embotados por el sueño.

—Ahora lo verás —susurró Paul.

—Déjame en paz.

—Subamos las escaleras.

Jan-Hein fue empujado escaleras arriba hasta llegar a la torre. Una vez dentro, Paul cerró tranquilamente la puerta con llave, guardándosela en el bolsillo.

—Ahí tienes tu ropa —dijo—. Hace frío, por lo que yo en tu lugar me la pondría.

Jan-Hein estaba ya totalmente despierto y no dejaba de protestar.

—Estás loco. ¿Qué quieres de mí? ¿Crees que voy a confesar que yo robé el dinero? Si es eso lo que pretendes, se ve que se te está reblandeciendo el cerebro. Ni siquiera se nos permite entrar aquí, ¿lo has olvidado? —Paul se sentó y no movió un solo músculo—. No estás en tu sano juicio. ¿Piensas que el director no va a enterarse de esto? ¿Qué crees que pasará cuando vean que no acudimos a desayunar? Además, si me pongo a gritar, nos oirán desde abajo. Vamos, dame la llave. Si me dejas salir ahora, no le contaré esto a nadie.

—¡Qué cobarde eres! —exclamó Paul.

—Dime qué es lo que quieres.

—Sabes muy bien lo que quiero: que confieses que fuiste tú quien robaste esos cuatro mil florines, y que dejaste que Toby pagara el pato por algo que no hizo.

—Eso no es verdad.

—Sí que lo es. Tú lo sabes, y ahora pretendo que todos los demás también lo sepan.

—Por mí puedes caerte muerto.

—Ya lo haré a su debido tiempo —dijo Paul—. Todos lo haremos. Pero podría tardar algún tiempo en darte ese gusto. Procedo de una familia que es conocida por su longevidad.

Jan-Hein se vistió, se lavó la cara en el lavabo y bebió varios tragos de agua. No pensaba que le fuera a suceder nada malo. Si el gorila tuviera la intención de golpearle, ya habría comenzado a hacerlo. Suponía que lo que Paul trataba de hacer era llamar la atención de modo que más compañeros empezaran a sospechar también de él y fueran a hablar con el director. Jan-Hein no iba ceder ni un palmo de terreno, y Paul se vería envuelto en un gran lío por retenerle allí arriba. El director estaría obligado a poner término a aquel secuestro en cuanto tuviera noticia de él.

Jan-Hein cogió un libro polvoriento de la estantería y fingió que se ponía a leer. Paul tenía un libro de problemas de ajedrez abierto delante de él y se había agenciado un tablero y fichas, para tratar de resolver los problemas que aparecían en el libro. Cualquier extraño pensaría probablemente que estaba contemplando a dos chicos perfectamente relajados: uno inmerso en la lectura y el otro absorbido por el ajedrez. En realidad, el ambiente era de tensión. Ninguna de las palabras entraba en el cerebro de Jan-Hein, mientras pasaba mecánicamente las páginas del libro. En su mente se arremolinaban las sensaciones de temor y rabia. Paul miraba fijamente al tablero, pero el problema al que daba vueltas en la cabeza no tenía nada que ver con las blancas o las negras. Procuraba prever, paso a paso, los acontecimientos que probablemente tendrían lugar, y qué debería hacer y decir, así como cuándo debería permanecer callado.

El edificio cobró vida alrededor de las ocho. Entonces Jan-Hein se dirigió hasta la puerta de la torre y se puso a aporrearla y a gritar con todas sus fuerzas:

—¡Eh, eh, aquí!

Para su sorpresa, Paul no hizo el menor intento por impedírselo, pues ni siquiera levantó la vista del tablero de ajedrez.

—¡Eh! ¿Pueden oírme? —siguió gritando Jan-Hein.

Alguien subió las escaleras. Se trataba de Ben de Ruiter, que intentó, sin éxito, abrir la puerta.

—¿Qué pasa? —gritó.

—Soy yo, Jan-Hein. Paul van Ravenswaai me tiene aquí encerrado.

—¡Menuda estupidez! —exclamó Ben. ¿Y dónde está Paul?

—Aquí dentro también.

Para entonces ya habían subido más muchachos, algunos con el pelo mojado, otros aún en pijama. Permanecían ante la puerta haciendo preguntas y sugerencias a voz en grito.

Paul se levantó, apartó tranquilamente a Jan-Hein de la puerta y dijo en voz alta:

—¡Escuchadme todos! Si queréis saber lo que pasa, llamad al director y pedidle que salga al balcón.

Un cuarto de hora más tarde el director salió al balcón. Paul abrió una de las ventanas y se asomó.

—¡Paul, baje inmediatamente! —le ordenó el director.

—No, señor —su voz sonó más grave que trece años antes cuando le pidieron que se quitara la gorra, pero igual de resuelta. El director había tenido motivos para reconocer aquel tono de voz a lo largo de los años.

—¿Por qué no?

—Jan-Hein de Winter y yo nos quedaremos aquí hasta que confiese haber robado de su escritorio el dinero.

—¿Y si no lo hizo? ¿O si no llega a confesar?

—Está claro que sí lo robó y confesará.

—¡Van Ravenswaai, se está comportando de un modo intolerable! Echaré la puerta abajo.

—No creo que llegue a hacerlo, señor. Aguarde un momento —entonces Paul alargó el brazo y cogió una botella que depositó sobre el alféizar de la ventana mientras la descorchaba. Luego derramó algo de gasolina sobre las tejas—. Prenderé fuego si alguien trata de forzar la puerta —dijo con calma. Al menos eso parecía, aunque de hecho su corazón le palpitaba con tanta fuerza que temía que todos pudieran oírlo.

—Paul, contrólese —exclamó el director, alarmado.

—Esperaremos a que Jan-Hein confiese su fechoría —replicó Paul.

El director discutió la situación con su personal. Todos estuvieron de acuerdo en tomar en serio a Paul van Ravenswaai. «Es más terco que todas las mulas del mundo juntas —dijeron—. Sería más fácil vaciar los océanos con una cucharilla, que hacerle cambiar de opinión.»

—¿No deberíamos llamar a la policía? —preguntó alguien.

—Probablemente habrá que hacerlo —respondió el director—, pero aguardemos a ver qué pasa. Preferiría que Torton Hall no apareciera en los periódicos, al menos por un asunto de esta naturaleza —el director volvió a salir al balcón.

—¡Paul, escuche! —dijo—. Haré que le dejen algo de comida junto a la puerta, de forma que pueda recogerla cuando todo el mundo se haya marchado.

—No es preciso, señor —replicó Paul—. Jan-Hein y yo no comeremos ni dormiremos mientras no confiese.

—Llamaré a su padre.

—Se encuentra en Costa de Marfil, como usted sabe, señor. Tendrá el número de teléfono en su despacho.

El director telefoneó al padre de Paul y le explicó la situación.

—Cogeré el primer avión que pueda —dijo el barón.

El día transcurrió sin acontecimientos dignos de mención. Paul y Jan-Hein permanecieron sentados uno frente al otro sin apenas pronunciar palabra. De vez en cuando, Jan-Hein exclamaba:

—¡No voy a confesar nada! ¡No hay nada que confesar!

—Tú sabes que eso no es cierto —replicaba Paul con brusquedad.

Comenzó a anochecer. Entonces el director reapareció en el balcón:

—¡Déjeme que hable con Jan-Hein! —dijo.

—Está bien —contestó Paul, e hizo señas a Jan-Hein para que se asomara a la ventana.

—¿Tiene algo que contarme? —preguntó el director a Jan-Hein.

—Que estoy hambriento —contestó Jan-Hein.

Los internos no hablaban de otra cosa que de los sucesos que se desarrollaban en la torre. En su mayoría estaban seguros de que Paul tenía razón. Para empezar, no creían que habría actuado de ese modo de no estar en lo cierto. Es más, creían que Jan-Hein podía ser el responsable del robo. No gozaba de la simpatía de sus compañeros.

El director seguía sin llamar a la policía. Quería aguardar

la llegada del barón con la esperanza de que éste pudiera ser capaz de resolver el asunto. Pensando en la gasolina que Paul había vertido sobre el tejado, dio instrucciones a los internos para que quitaran los colchones de sus camas, los bajaran al comedor y durmieran allí para mayor seguridad. También decidió que al menos dos personas montaran guardia durante la noche. Los turnos de guardia fueron repartidos entre los miembros del personal y los cuatro internos de mayor edad.

Los encerrados en la torre no durmieron, permaneciendo con las luces encendidas. Estaban pálidos y hambrientos. Paul parecía sosegado, pero Jan-Hein daba muestras de nerviosismo, levantando la vista continuamente. Hacia la madrugada su cabeza se desplomó entre sus brazos. Paul humedeció un trapo y lo aplicó a la nuca del durmiente.

—No te duermas —dijo Paul—. O de otro modo no estarás en condiciones de pensar en lo que tienes que confesar.

El día siguiente amaneció gris y nublado, particularmente en la torre. El hambre y la falta de sueño los habían debilitado. Jan-Hein miraba suplicante al rostro de su carcelero una y otra vez, pero sin poder distinguir en éste el menor indicio de compasión. Cuando Paul sentía el más ligero síntoma de agotamiento, sólo tenía que pensar en Toby y recuperaba inmediatamente su determinación. Estaba convencido de poder doblegar a la sabandija que tenía frente a él, pues tenía más vitalidad.

Jan-Hein esperaba mucho del barón. Éste se vería obligado a acabar con toda aquella farsa y entonces el horrible gorila sería expulsado. Estaba resuelto a no confesar, aunque tuvieran que permanecer allí encerrados una semana, o incluso más.

El barón de van Ravenswaai llegó a última hora del segundo día de aquella especie de secuestro. Salió al balcón y habló brevemente con su hijo:

—¿Estás seguro de tener la razón en este asunto, niño testarudo?

—Sí, padre.

—Creo que habrá que llegar hasta las últimas consecuencias —le dijo el barón al director—. Le guste o no, la verdad es que mi hijo nunca cambia de opinión.

El barón parecía estar orgulloso de la conducta de su hijo, pensó el director, y no precisamente avergonzado. En el fondo, el director estaba nervioso por las consecuencias de que Jan-Hein se declarara culpable. ¿Podría haberse precipitado al expulsar a Hogenhout? ¿No debería haber recurrido a la policía?

Transcurrida otra noche, Jan-Hein se derrumbó. No tenía la materia prima de la que están hechos los héroes.

—De acuerdo, tú ganas —dijo rotundamente—. No puedo soportar esto ni un minuto más. Es cierto. Yo robé el dinero.

En lugar de una sensación de triunfo, lo que Paul sintió de repente fue una gran compasión por Jan-Hein. «Qué horroroso el ser de ese modo», pensó. Paul se asomó a la ventana y gritó que quería hablar con el director. Éste apareció momentos después.

—Jan-Hein tiene algo que contarle —dijo Paul.

—Es verdad. Yo robé el dinero —confesó Jan-Hein.

Una vez desenmascarado el ladrón, los dos bajaron las escaleras. A Paul le preocupaba que Jan-Hein pudiera retractarse, alegando que la confesión le fue arrancada bajo coacción; pero no lo hizo. Jan-Hein era tan inconsistente como la gelatina, y no le quedaba resistencia alguna. Avergonzado, contó al director brevemente cómo se había apoderado del dinero y qué había hecho con él.

El barón abrazó a su hijo, y ni siquiera pronunció una palabra de reproche.

—Come algo y luego vete a dormir un poco —dijo—. Tu madre te envía su cariño y dice que te echa de menos.

El suceso llegó a hacerse público, por supuesto, incluso a pesar de que la policía no intervino. Toby fue readmitido en Torton Hall y su dinero le fue devuelto. Jan-Hein fue expulsado y su padre tuvo que aportar el dinero sustraído. El director estrechó la mano de Paul.

—Consideraremos el caso cerrado —dijo—. No podemos aplicar las normas convencionales.

Un periodista llegó a escribir un breve artículo y quiso entrevistar al barón de van Ravenswaai y a su hijo, pero el barón ya había regresado a Costa de Marfil y Paul no deseaba ninguna publicidad.

Paul se sentaba a menudo con Toby en la torre y jugaban al ajedrez, pero perdía la mayor parte de las veces.

—No importa —le consolaba Toby—. Tú ganaste la partida más importante, simio.

Ambos aprobaron el curso, aunque a Paul le quedó el francés.

—Debería haber venido con nosotros a Costa de Marfil —dijo su madre—. Habría sido bueno para su francés.

Paul había dejado de crecer; le faltaba un par de centímetros para medir los dos metros, lo cual no estaba mal del todo. Esperaba con ilusión ver a sus padres en agosto; pasarían sus vacaciones en Holanda. Paul quería terminar su trabajo de francés rápidamente para, de ese modo, poder disfrutar con total despreocupación de un largo verano.

3

CUANDO Arthur Keizer acabó su adiestramiento e inició su carrera profesional en el cuerpo de policía, tenía veintitrés años. Se casó con María Verwey y un año más tarde nació su hija Monique. El matrimonio no tuvo más hijos.

Cuando Monique cumplió los veinte se desposó con Gerald Duivenbode, un joven arquitecto con mucho porvenir. Monique siguió el ejemplo de sus padres, convirtiéndose muy pronto en madre de una hija y haciendo a Keizer abuelo a la temprana edad de cuarenta y cuatro años. Le costó hacerse a la idea de ser abuelo, pero pronto se volcó plenamente en su papel. Josie era la niña de sus ojos, su orgullo y su alegría, su luz y su flor. Le decía todo eso y mil cosas más.

Los sábados por la tarde, Arthur y María iban a visitar a su hija y su yerno a un pueblecito próximo llamado Maarssen. Admiraban el jardín que Monique había diseñado y cuidaba con mimo, y examinaban el nuevo proyecto de Gerald: en aquel momento, un centro comercial en Woerden. Bebían café y tomaban dulces, lo que hacía que la velada fuera completa. En un momento dado, después de vaciar su plato y limpiarse los labios, Keizer preguntó:

—¿Habéis oído hablar de Almas Vivas?

—Por supuesto —respondió Gerald.

—Se trata de mala gente —comentó el antiguo comisario.

—Eso creo yo también —dijo Monique.

—Me pasé los últimos cuatro o cinco años en el cuerpo tratando de probar que sus actividades eran delictivas —dijo Keizer—. No tuve éxito. Es tremendamente difícil penetrar en su organización. Si algún miembro de Almas Vivas infringe la ley y es detenido, se responsabiliza personalmente y nunca se escuda en la organización.

—Conocemos a una pareja cuya hija se ha unido a Almas Vivas —dijo Monique—. Es terrible. La chica trata a sus padres como si fueran unos extraños. Está completamente bajo el control de la secta.

—Dos de mis jóvenes agentes trataron de infiltrarse en la organización, fingiendo que estaban interesados en incorporarse a ella. Fue inútil. O bien los consideraban demasiado mayores, pues ambos superaban los veinte, o sabían que trabajaban para la policía.

—Es una desgracia que una organización de ese tipo no pueda ser declarada ilegal —comentó Gerald.

—No, no es una desgracia. Es maravilloso. La libertad dentro de la legalidad es algo bueno. Sin ella tendríamos una dictadura, y todos nosotros sabemos lo que eso supondría. Pero esa misma libertad puede dificultar la acción policial. De cualquier modo, no me ha dejado descansar este asunto desde que me retiré. Sigo resuelto a acabar con la organización. Ha causado demasiados sufrimientos.

—¿Cómo lo conseguirás? —preguntó Monique.

—He estado buscando a un par de jóvenes de carácter fuerte: chicos de confianza que estén en condiciones de resistir la persuasión, el adoctrinamiento e incluso el lavado de cerebro, dicho en pocas palabras.

«Así que era eso —pensó su esposa—. Eso es lo que le ha mantenido atareado. Por este motivo ha estado viniendo por casa ese tipo larguirucho.»

—¿Los has encontrado? —preguntó Monique.

—He elegido a dos de un grupo de diecisiete —contestó Keizer—. Dos chicos. Con la aprobación de sus padres, me gustaría que se infiltraran en Almas Vivas.

Keizer les contó brevemente lo que sabía de Valentine de Boer y Paul van Ravenswaai. Los reunidos le escucharon con atención. Cuando terminó, Monique djo:

—Me pregunto si estarán de acuerdo los padres de Paul. El tutor de Valentine no pondrá demasiadas objeciones.

—Yo también me lo pregunto —dijo su padre—. Por eso quería pediros algo a vosotros dos. Me gustaría que Josie colaborara.

Se produjo un silencio momentáneo. Su esposa María lo rompió diciendo:

—Pero Arthur... —se lo pensó mejor y se calló.

Gerald miró a su mujer. Pensaba que si aquella propuesta iba a ser rechazada, tendría que ser su esposa quien lo hiciera. Todos acabaron mirando a Monique.

—Es una tontería, padre —dijo—. No puedes decirlo en serio. Josie es una chica completamente corriente: nunca se ha drogado ni se ha encerrado voluntariamente en un ático sin nada de comer.

—Josie no es en absoluto una chica corriente —replicó Keizer indignado—, y no es necesario que yo lo diga. Tiene una gran sensatez y confío plenamente en ella.

—No podría dormir por las noches —dijo Gerald.

—Ni yo tampoco —reconoció honestamente su suegro.

—Entonces, ¿por qué mezclarla en ese asunto?

—Escuchad. Voy a pedirles a Paul y Valentine que me ayuden. Eso significa que creo estar obrando bien al solicitarles su cooperación. Ellos no tienen la obligación de colaborar, como yo tampoco de involucrarme en el asunto de Almas Vivas. Estoy jubilado. Pero a veces nos enfrentamos a situaciones que nos obligan a actuar. Al menos eso es lo que yo creo. Si me atrevo a pedir a Valentine y Paul que me ayuden, entonces también debería poder pedir la ayuda de mi propia nieta. Si me parece adecuado solicitar esto del barón de van Ravenswaai, también debería tener el valor de pedírselo a los padres de una nieta mía. Si vosotros me negáis vuestra colaboración, ¿con qué autoridad moral cuento al presentar el tema a los demás?

Se produjo un silencio prolongado. Monique se levantó y, situándose detrás de la silla de su padre, se puso a acariciarle su pelo gris.

—¿Qué peligro hay exactamente? —preguntó Monique.

—Los tres estarán en contacto permanente entre sí, lo que constituirá una forma de protección. También me informarán, al menos una vez al día. Tan pronto como sospeche la existencia de algún peligro real, haré que se retiren.

—¡Josie es tan joven!

—Tiene diecisiete años —dijo Keizer—. La misma edad que Paul.

—¿Tienes también un expediente suyo?

—Así es —respondió el antiguo comisario. Entonces, dándose un golpecito en la frente, añadió—: Está aquí dentro. No he tenido que ponerlo por escrito, como podéis imaginar. ¡No pensaréis que no conozco a mi Josephine!

LA HISTORIA DE JOSIE VAN DUIVENBODE

Josie era pelirroja, aunque su abuelo se empeñaba en afirmar que el color de su pelo era bermejo. Lo llevaba recogido en dos grandes trenzas que le colgaban hasta la espalda. Tenía los ojos castaños y algunas pecas en cada mejilla que casi le desaparecían en invierno para de nuevo adornarle graciosamente el rostro en verano. Era hija única, lo que resulta difícil para algunos niños, aunque no para Josie, ya que tenía siempre amigas en casa, por no mencionar a sus muñecas y ositos de peluche. Todos tenían nombres y la niña les hablaba con tal convicción que parecían ser capaces de contestarle. Sin duda era Josie quien respondía, pero empleaba una voz distinta para cada muñeca y cada osito, y esto hacía que su cuarto pareciera lleno de gente, incluso cuando se encontraba sola.

Uno de sus ositos, de nombre Rasputín, cometía frecuentes travesuras. La niña lo ponía en un rincón en lugar de permitirle participar en el desfile que había organizado para las muñecas y los demás ositos. Pero Josie enseguida se compadecía de él y entonces lo trataba con más mimo que a los demás, hasta que le prometía no volver a ser travieso.

Cuando cumplió los cuatro años, comenzó a ir a la guardería. Pronto todas las niñas de la guardería pasaron por su casa para jugar con ella. Les presentó a todas sus muñecas y les contó hasta el más insignificante detalle de la última travesura de Rasputín.

—Acabó con la mermelada de su pan y luego se puso más

—dijo. Aquello era exactamente por lo que su madre le había regañado aquella misma mañana—. Así es que ahora tiene que estar de pie en el rincón —sus amigas pensaron que había hecho bien. Como Josie, ellas también castigaban a sus muñecas con mayor severidad que cuando ellas mismas eran castigadas por sus padres.

A medida que Josie se iba haciendo mayor, fue demostrando un vivo interés por todo lo que la rodeaba. La chica no podía hacerse a la idea de que su abuelo fuera policía. A veces sus padres le permitían ir al despacho de su abuelo; allí éste le contaba historias de los criminales a los que había encerrado. En una ocasión llegó a ver a un hombre esposado. Su creencia de que todos los delincuentes debían ser enviados a la cárcel se vino abajo estrepitosamente, sintiendo tanta lástima por aquel hombre esposado que le habría liberado inmediatamente de haber estado en su mano hacerlo.

Aprender a leer le abrió a un mundo totalmente nuevo. La niña se fijaba en los nombres de las calles, las matrículas de los automóviles y las placas de los domicilios: «W. G. Davelaar, abogado».

—¿Qué es un abogado, mamá?

—Bien; imagínate que el abuelo ha detenido a un ladrón. Éste tiene que ser procesado en un juzgado para establecer o no su culpabilidad. Alguien tiene que intervenir para decir algo a su favor y defenderlo como, por ejemplo, que está seguro de que el acusado no lo volverá a hacer. Eso es una de las cosas que hace el abogado.

A Rasputín le fue inmediatamente asignado un abogado para que lo defendiera: una muñeca llamada Rosalind, de sonrisa repelentemente dulce. Desde aquel momento siempre levantaría la voz, declarando que Rasputín no había pretendido ser tan travieso. Le salvó a Rasputín de varias horas de cara al rincón, aunque también puede ser que se pasara menos tiempo allí sencillamente porque Josie estaba perdiendo interés por sus juguetes ahora que sabía leer. La vida cada vez le resultaba más interesante y la niña leía ávidamente un libro tras otro.

Reservaba todas las preguntas para formulárselas a sus padres a la hora de la cena y ellos siempre las respondían con gran seriedad. Discutían sobre astronomía, sobre la teoría de la evolución en oposición a la tesis de la creación, y por qué algunas personas van a la iglesia y otras no. Josie era una chica afortunada, alegre casi todo el tiempo, dotada de una risa contagiosa e interesada por todo. Nunca se aburría.

Sucedió algo terrible. En Josie se iba reafirmando la impresión de que sus padres se trataban menos cariñosamente que como lo habían hecho en el pasado. Procuraban disimularlo, pero, a veces, cuando ellos pensaban que la niña no podía oírlos, ésta escuchaba voces en el dormitorio de sus padres, y cada vez con más frecuencia al regresar del colegio notaba que su madre había llorado. Cuando la chica se dio cuenta de que las lágrimas eran causadas por su padre, se fue directamente a él y le preguntó sin rodeos:

—Papá, ¿has dejado de querer a mamá?

Su padre, tremendamente confundido, le dijo que no se preocupara, que todo matrimonio tenía problemas de cuando en cuando y que, de cualquier modo, él la quería muchísimo. Aquello supuso un alivio breve. Josie habló también con su madre y por primera vez en su vida recibió evasivas y respuestas que no eran sinceras del todo.

El ambiente hogareño se hizo más tenso y la conversación durante la cena se volvió cada vez más forzada. Josie se quedaba a cenar con sus amigas con mayor frecuencia, y fue perdiendo su jovialidad. Un día su padre le habló en privado y le confesó que se iba a marchar de casa. Esperaba que ella lo comprendiera; sabía que sería muy difícil, pero así era la vida. Por supuesto, Josie sabía que esas cosas sucedían; varias compañeras suyas vivían con sus madres e iban a visitar a sus padres una vez al mes o cada quince días. Ahora se convertiría en una de ellas, algo que nunca había esperado. Josie no podía determinar si quería a su padre más que a su madre, y tampoco sabía a quién echarle la culpa por su ruptura conyugal. Su padre era muy brusco en ocasiones, incluso áspero, pero de cuando en cuando su madre también perdía los nervios sin motivo aparente.

Un par de días después su padre se marchó de casa. Su

madre le dijo que se había ido a vivir con alguien a un piso de Utrecht. La primera vez que fue a ver a su padre, Josie conoció a ese «alguien». Su nombre era Caroline, y parecía una mujer bastante simpática, pero Josie deseó que hubiera elegido para convivir con ella a alguna otra persona, no a su padre. La vida ya no era tan divertida como antes. Josie se acostumbró, por supuesto; al igual que uno se acostumbra a la pobreza cuando se gana poco dinero, a una silla de ruedas el inválido o a la calva cuando se ha perdido el cabello. Pero nunca la costumbre hace que la vida sea más agradable. La vida se hizo insulsa en el hogar. Su padre siempre había tenido muchas cosas que decir y Josie mucho que preguntar. Su madre era un encanto, pero no era ni la mitad de conversadora que Josie o que su padre. Y cuando Josie iba cada dos semanas al piso de su padre, las cosas no mejoraban en absoluto. Para empezar, Caroline estaba allí presente y se mostraba tan dulce y cariñosa que a Josie le entraban ganas de vomitar.

También se aburría mucho. Siempre le habían desagradado los domingos, pues a menudo eran días de lluvia, y Josie no sabía qué hacer un día de lluvia. Josie y su padre no parecían tener nada que decirse. Le preguntaba cómo le iba en el colegio. Ella respondía lacónicamente. Luego hablaban de los abuelos.

«¡Cielos, qué conversación tan aburrida!», pensaba Josie.

Su padre parecía sentir lo mismo. Comenzaron a salir a pasear ellos solos, sin la compañía de Caroline. Josie conseguía ahora todos los helados que se le antojaban cuando antes tenía que rogar a su padre una y otra vez para que se los comprase. Pero los helados no sabían tan buenos como en otro tiempo. Iban al parque de atracciones y al zoológico, pero dar más de una vuelta al parque de atracciones resultaba aburrido, y los zoológicos son maravillosos una vez al año, pero no más.

Cayó en manos de Josie *Jane de Lantern Hill,* un libro escrito por un tal Montgomery. Lo leyó tres veces, tanto le gustó. Los padres de Jane tampoco vivían juntos, pero Jane no había llegado a conocer a su padre, por eso éste no tenía resonancia alguna en su vida. Cuando lo conoció, a ella le pareció un hombre fenomenal, y no paró hasta lograr que sus padres se reconciliaran. Josie quería ser como Jane, pero las circunstancias en que se encontraban sus padres eran distintas.

Josie comenzó a escribir cartas a su padre, al menos dos veces por semana, contándole las pequeñas cosas que sucedían en su vida, los incidentes del colegio, las discusiones, las bromas que gastaba el profesor, la conmoción cerebral que había sufrido el vecino de al lado al chocar contra un árbol con la bicicleta. También le escribía acerca de su madre. Le contaba todas aquellas cosas que no mencionaba en sus sosas visitas dominicales. Josie le escribía contándole lo que hablaba con su madre: su trabajo y la carrera que se había hecho en su único par decente de medias cuando ya estaban las tiendas cerradas y no podía comprarse un par nuevo. También se refirió a la blusa nueva de su madre, que le sentaba tan bien que hasta un hombre le dirigió un silbido de admiración por la calle, así como a lo bien que se lo pasó en el cine acompañada por Arie.

Josie nunca dejaba que su madre leyera ninguna de sus cartas, ni tampoco las de su padre, que llegaban al menos una vez por semana. Él le escribía sobre su trabajo, sus conversaciones con clientes difíciles que creían saber más que él, así como sobre la idea que tenía para la construcción de un conservatorio de música. Preguntaba a su hija en qué empleaba el tiempo y hacía comentarios divertidos sobre la última carta.

«Querido papá —escribió Josie un día—: Ayer tuve una larga conversación con el abuelo. Vino a pasar la tarde. Le pregunté que cuántos ladrones había capturado esta semana y me dijo que siete; pero no le he creído, a menos que se tratara de siete rateros comunes a los que pondría en libertad inmediatamente. Dice que al final regresarás a casa porque sentirás nostalgia. Es posible que piensen que no debería contarte esto, pero sería fantástico que volvieras a casa a vivir con mamá y conmigo.»

«Querida Josie —le contestó su padre—: Tu abuelo atrapa a los ladrones con la misma facilidad con la que tú atrapas moscas. ¿Sabías que llegó a detener tres veces a Lewis el Huidizo? ¿Y por qué tres veces?, te preguntarás. Pues porque Lewis era un fenómeno dándose a la fuga.»

Su padre le contaba muchas otras cosas en su carta, pero no hizo mención alguna de su posible vuelta al hogar.

Transcurrió un año. Las visitas de Josie a su padre y a Caroline se hicieron menos habituales; pero, como compensación, escribía cada vez más a menudo. Josie creía que a su padre le encantaban sus cartas. Lo que ella ignoraba es que estas cartas le hacían adorar el hogar, y que siempre anhelaba la llegada de la próxima, sintiéndose deprimido si Josie dejaba pasar unos días, o peor aún, toda una semana sin enviársela.

El dieciséis de marzo Monique cogió la gripe. Aquello no tenía nada de particular, pero tuvo sus consecuencias. Josie se quedó en casa a cuidar de su madre, y dedicaba su tiempo a releer *Jane de Lantern Hill*. En el libro, Jane cae enferma mientras se encuentra en casa de su padre, por lo que madre acude apresuradamente a prestar asistencia a hija y el encuentro entre los esposos separados contribuye a la reconciliación.

«Ojalá fuera yo la enferma en lugar de mamá. Muy enferma, con una fiebre de cuarenta y un grados —pensaba Josie—. Entonces papá vendría a verme y acabaría quedándose en casa.» Josie estuvo a punto de salir desnuda al balcón y dejarse calar hasta los huesos por la fría lluvia de marzo, pero era demasiado juiciosa como para cometer semejante estupidez. Oyó crujir la cama del piso de arriba. Llenó un vaso de zumo de naranja y se lo subió a su madre. Ésta parecía arder por la fiebre.

«Un momento —pensó Josie—. Existe otra manera.» Cogió una hoja de papel y se puso a escribir: «Querido papá, no tengo tiempo para escribirte. Mamá se encuentra gravemente enferma —Josie tachó gravemente, pero de forma que pudiera seguir leyéndose, y cambió la palabra por muy—. Tiene mucha fiebre; su temperatura es casi de cuarenta y dos grados. Podría ser meningitis. Disculpa mi precipitación. Te quiere, Josie».

59

Josie había leído en alguna parte que la meningitis producía una fiebre muy alta, y parecía una enfermedad lo suficientemente grave como para que la gente se muriera de ella.

La mañana siguiente era sábado. Josie no tuvo que ir al colegio. Monique se sentía mucho mejor e incluso tenía ganas de levantarse, pero su hija no se lo permitió. Le trajo el desayuno a la cama, comentando que enseguida estaría de vuelta con el café. Estaba preparándolo cuando sonó el timbre de la puerta. Se trataba de su padre.

—¡Papá!

—¿Cómo está tu madre? —preguntó con ansiedad.

—Mejor —susurró Josie—. Creo que se encuentra fuera de peligro.

—¿Está dormida?

—Creo que sí. Sube sin hacer ruido y echa un vistazo, si quieres.

Su padre subió las escaleras de puntillas y se asomó cautelosamente al cuarto de su esposa. Monique estaba incorporada en la cama, hojeando una revista, abrigada con un quimono.

—Pero... —dijo Gerald.

Eso fue todo lo que oyó Josie. La puerta se cerró, no pareciéndole a Josie correcto subir a escuchar la conversación de sus padres. Puso más agua a hervir y esperó mientras su corazón latía violentamente. Un cuarto de hora después bajó su padre. Abrazó fuertemente a su hija, levantándola del suelo a pesar de lo grande que era ya.

—Eres una tramposilla —dijo su padre.

Josie sirvió el café y ambos subieron las escaleras.

—¿No es esto divertido?

—Sí que lo es —respondió su padre.

Un par de días más tarde Gerald regresó a casa definitivamente. Así se cumplieron los deseos de Josie, y su familia quedó unida de nuevo.

Los años transcurrieron velozmente. Josie fue cumpliendo años: trece, catorce, quince. Hacía infinidad de preguntas y siempre recibía una respuesta seria. En realidad, su padre replicaba a menudo:

—No lo sé. ¿Qué piensas tú?

—Cuando nos morimos, ¿tenemos una segunda vida?

—Si es así, ¿tenemos luego una tercera vida?

—Si existe el cielo, ¿van a él también los animales?

—¿Por qué no?

—¿Por qué fabrica la gente bombas atómicas cuando se sabe que destruirán el mundo, incluidos a aquellos que las fabrican? —se extrañaba Josie, indignada al mismo tiempo.

—No tiene sentido, ¿verdad?, que la gente que es realmente buena y amable llegue a ser aburrida. Además es muy divertido ser travieso, ¿no es cierto? Reconócelo.

—¿Fue Napoleón bueno o malo? —Josie encadenaba las preguntas.

—No lo sé —respondía su padre—. ¿Cuál es tu opinión?

Discutían todo tipo de asuntos, a veces seriamente, y en ocasiones un poco en broma. Algo en lo que su padre insistía siempre era en que los razonamientos de Josie fueran lógicos y seguros. Cuando no lo eran, su padre procuraba hacérselo ver rápidamente con argumentaciones como éstas: «Una silla tiene cuatro patas. Por tanto, todo aquello que tenga cuatro patas es una silla». O bien: «¿Qué es más pesado, un kilo de manzanas o un kilo de peras?» O: «Yo quiero a mamá. Mamá te quiere a ti. Por tanto, tú me quieres a mí».

—De acuerdo —replicaba Josie—. Probablemente tengas razón. Pero me parece que si ser travieso puede tener su aspecto agradable, ser ilógico puede tener también su parte de verdad.

—Vaya un razonamiento —decía su padre—. ¿Es eso lo que os enseñan en la escuela hoy día?

—Por supuesto —contestaba Josie.

EN OCASIONES JOSIE iba a visitar a su abuelo al despacho. Le gustaba estar en la comisaría de policía. Allí pasaban siempre tantas cosas: entraba y salía gente constantemente, y los agentes más jóvenes le tiraban de las trenzas y la llamaban «la niña mimada del abuelo» para hacerle rabiar. Su abuelo también disfrutaba presumiendo ante Josie.

Cuando tenía catorce años, un día que fue a recoger a su abuelo llegó algo pronto a la comisaría. Su abuelo estaba aguardando una visita, pero le dijo que podía esperar con él; no se trataba de nada confidencial. La visita era de un tal señor Plantinga, un fabricante de electrodomésticos y aficionado a volar en globos de aire caliente los fines de semana. El mes anterior unos ladrones habían allanado su vivienda, y robado la cubertería de plata, así como parte de las valiosas joyas de su esposa. La policía había logrado resolver el caso e incluso había recuperado el botín. El señor Plantinga había venido a darle las gracias.

—¿Tiene un par de horas libres el sábado, comisario? —preguntó Plantinga.

—Sí; creo que sí —respondió Keizer.

—¿Le apetecería volar en globo con mi esposa y conmigo?

—Es muy amable de su parte. Me encantaría.

«¡Oh, no! —pensó Josie—. ¿A qué está jugando el abuelo? Le va a sentar fatal subir en globo.» Sabía que su abuelo detestaba las alturas. Sólo volaba en avión cuando no le quedaba más remedio, y miraba de lejos los teleféricos cuando iba a las montañas.

—Pero abuelo... —quiso recordarle Josie.

Keizer no se volvió atrás. Fijaron la hora y el lugar y el señor Plantinga se despidió.

—¿Vas realmente a subir en globo? —preguntó Josie.

—Sí —replicó Keizer—. ¿Qué pensaría el señor Plantinga de la policía de Amsterdam si me asustara subir en globo?

—¿Qué pensará de ti cuando comiences a ponerte blanco?

—Daré muestras de estar pasándomelo en grande.

—¿Puedo ir a verlo?

—Naturalmente que puedes —replicó Keizer mientras manoseaba nerviosamente el nudo de su corbata. «Me pregunto qué tiempo hará el sábado», pensó Josie.

Cuando llegó el sábado, el comisario quedó consternado al ver que la mañana era espléndida; había buena visibilidad y el viento no era demasiado fuerte. Mientras nieta y abuelo se dirigían en coche al lugar del despegue, situado fuera de la ciudad, Josie advirtió gotas de sudor en el labio superior de su abuelo. El semblante severo que tanto admiraba Josie parecía menos seguro de sí mismo que de costumbre. Pero sabía que su abuelo no se echaba atrás de ningún proyecto así como así.

—Resulta raro, ¿no es cierto?, que vayas a subir en globo —comentó Josie como restando importancia al asunto.

—¿Raro?

—Bueno, después de todo, ya has subido dos veces. Se supone que no constituye una novedad para ti.

—¿Que he subido dos veces? —repitió su abuelo con asombro—. ¿Cuándo? No he estado en uno de esos artilugios en mi vida.

—¡Claro que sí! —replicó Josie—. De cualquier modo, el señor Plantinga no sabe si has estado o no. Yo nunca he subido en globo y me encantaría hacerlo. ¿Puedo ir en tu lugar?

—No, no puedes.

—¿Y por qué no?

—Pues porque no, eso es todo.

—Es fenomenal discutir contigo, abuelo —dijo Josie sarcásticamente.

Encontraron el campo de despegue sin demasiada dificultad, y allí estaban los señores Plantinga con dos ayudantes. El globo aerostático yacía tumbado sobre la hierba como un enorme pájaro durmiente. La barquilla tenía capacidad para tres pasajeros de pie. En su interior había un cilindro de gas provisto de una espita y un mechero. El señor Plantinga acababa de encender la llama. Los dos asistentes levantaron la parte inferior del globo para permitir que el aire calentado por la llama penetrara en su interior. El aire caliente fue hinchando el globo y, al ser más ligero que el aire frío circundante, comenzó a elevarlo. La barquilla se tambaleó ligeramente y el señor Plantinga tuvo que ajustar la intensidad de la llama para impedir el despegue del artefacto.

—Buenos días, comisario. Venga aquí —exclamó con jovialidad—. Necesitamos su peso o esto despegará ahora mismo conmigo dentro.

—Ya voy —replicó el comisario, que se acercó pausadamente a la barquilla, acompañado por Josie. Cuando llegaron al alcance del oído del señor Plantinga, Josie le rogó con voz clara:

—¡Abuelo! ¿Por qué no me dejas subir? Tú ya has subido dos veces en Francia.

Keizer profirió un gruñido ininteligible.

—No puedo llevar a los dos —dijo el señor Plantinga—. Sólo hay espacio para tres, y por motivos de seguridad me gusta ir acompañado por mi esposa, que es una experta en las técnicas de vuelo en globo.

—¿Realmente quieres ir? —preguntó el comisario a su nieta.

—Abuelo, sabes que sí.

—Por mí, de acuerdo —dijo Plantinga.

—Eres un encanto —exclamó Josie, como si su abuelo ya le hubiera dado su consentimiento. La muchacha lo besó precipitadamente y se encaramó en la barquilla.

—¿No te da miedo? —preguntó Keizer a su nieta.

—Un poquito —le mintió la muchacha.

La señora Plantinga también se subió a la barquilla.

—Síganos en su coche, si lo desea —sugirió el señor Plantinga—. Hay un viento de poniente, en realidad de doscientos sesenta grados, y contamos con suficiente gas para una hora de vuelo, aproximadamente.

—De acuerdo, los seguiré —replicó Keizer.

Plantinga abrió la espita del todo. Se produjo un ruido estruendoso. Los dos jóvenes ayudantes soltaron la barquilla, que despegó del suelo. El globo ganó altura rápidamente e inició su desplazamiento hacia el este a suficiente distancia del suelo como para salvar los grandes árboles que rodeaban el campo que sirvió para el despegue.

—¡Es fantástico! —exclamó Josie boquiabierta. La ciudad de Hilversum se extendía a sus pies, pareciéndose en todo a una fotografía aérea.

—¿Qué altura puede alcanzar el globo? —preguntó Josie.

—Por lo menos cinco mil metros, aunque no pienso subir tanto hoy. Volando más bajo, las vistas son mejores y podemos apagar la llama de vez en cuando.

Eso es lo que hizo el señor Plantinga, con lo que se hizo un silencio sobrecogedor. Ahora estaban realmente desplazándose por el cielo como una nube, a expensas de una suave brisa de fuerza tres. A Josie le extrañó muchísimo que alguien pudiera sentirse atemorizado en un medio de transporte tan soberbio.

Cuando la llama no ardía, el globo iba perdiendo altura gradualmente. Cuando se aproximaban demasiado al suelo, Plantinga la encendía de nuevo y volvían a recuperar altura. Fue un vuelo fantástico, y una experiencia que Josie nunca olvidaría. Casi llegó a sentirse culpable de haber ocupado el lugar de su abuelo, aunque a él no le importó en absoluto.

Keizer estuvo observando cómo se desplazaba el globo en el cielo desde la seguridad que le garantizaba su automóvil, rodando a velocidad suficiente para no distanciarse, y asomándose a la ventanilla para contemplar el vuelo sin dejar de preguntarse cómo demonios alguien podría disfrutar suspendido de ese modo entre el cielo y la tierra. Estaba profundamente agradecido a su nieta por haberle ahorrado el viaje. Cuando perseguía a delincuentes en coche a más de ciento ochenta kilómetros por hora, ni siquiera se le aceleraba el corazón, e incluso en una ocasión se había metido temerariamente en una casa en llamas para rescatar del fuego a dos niños —todavía podían verse dos oscuras cicatrices de las quemaduras que sufrió en el brazo izquierdo—, pero la idea de elevarse en una barquilla le daba pánico. Ojalá les saliera todo bien.

—Preparados para aterrizar —dijo el señor Plantinga.

—¿Qué es lo que tengo que hacer?

—Cuando la barquilla golpea el suelo, el globo se medio desinfla y puede elevarse de nuevo. Así es que has de bajarte en el momento que toquemos tierra y echar a correr en la dirección en que el globo se ladee. Hay una cuerda atada al extremo superior. Agárrala y no dejes de correr en la misma dirección. Eso hace que el globo se extienda sobre el suelo.

—No parece demasiado difícil —dijo Josie.

El señor Plantinga redujo gradualmente la salida de gas y fueron perdiendo altura lentamente.

—Es fácil, con tal de que no aterricemos en ese río.

Por supuesto que no cayeron al río. Plantinga cerró la espita y la barquilla entró en contacto con el suelo bruscamente, siendo arrastrada unos metros. En cuanto se detuvo, Josie saltó fuera, se agarró de la cuerda y tiró del globo hacia abajo. Fue una maniobra perfecta. Diez minutos después, cuando los señores Plantinga casi habían acabado de plegar el globo, llegaron dos coches, uno conducido por el comisario y el otro por los dos ayudantes.

—¡Fue algo grandioso! ¡Realmente fantástico! —dijo Josie, entusiasmada, a su abuelo—. Pero tú ya lo sabías, ¿no es cierto?

—¿Se portó bien mi nieta? —preguntó el comisario—. No habrá dado la lata diciendo que quería bajarse, ¿verdad?

—Fue un miembro ejemplar de la tripulación —dijo el señor Plantinga.

Keizer y su nieta se despidieron y se marcharon.

—Qué amable fue el comisario al dejar que su nieta ocupara su puesto, ¿no es cierto? —comentó la señora Plantinga.

Probarlo todo y averiguarlo todo siguió siendo el lema de Josie. Fue una alumna normal en el instituto, donde hizo gran cantidad de amistades, incluidos la mayoría de los profesores. Aprobó el examen final, sin brillantez, pero con bastante buenas notas y a una buena edad. Le faltaban dos meses para cumplir los dieciocho años. Josie había tomado la decisión de convertirse en maestra y fue admitida en la escuela de magisterio. Pero antes pensaba disfrutar de las largas vacaciones veraniegas. Josie esperaba que fueran divertidas y soleadas.

4

KEIZER había organizado una reunión en su despacho y allí se encontraban los cuatro: Josie, Valentine y Paul, acomodados en los sillones, y Keizer sentado en su sillón de trabajo, que había sacado de detrás del escritorio. El tutor de Valentine había dado rápidamente su autorización con la condición, por supuesto, de que Valentine estuviera de acuerdo. Keizer había conseguido, aunque no sin dificultades, persuadir a su hija Monique y su marido Gerald de que dieran el permiso para la participación de Josie; seguía esperando una respuesta a la larga carta que había escrito a los padres de Paul, solicitando la colaboración de éste.

Paul, Valentine y Josie no sabían por qué habían sido convocados en casa de Keizer. Valentine y Paul se habían devanado los sesos preguntándose si habrían hecho algo delictivo tan serio como para ser citados por la policía; llegaron a la conclusión de que no era ése el caso.

—Seguramente os preguntáis por qué habéis sido citados aquí —dijo Keizer. Los tres jóvenes asintieron con la cabeza—. ¿No tenéis la menor idea?

—Yo no he hecho picadillo a nadie últimamente —bromeó Valentine.

Josie y Paul se echaron a reír.

—Necesito vuestra ayuda —dijo el antiguo comisario de policía—. Se trata de una historia bastante complicada y mi nieta Josie sabe del asunto tan poco como vosotros dos. Dejadme que os lo explique.

Los tres asintieron de nuevo con la cabeza sin pronunciar palabra. Sobre el rostro de Paul se dibujó un gesto inexpresivo. Le llevaría algún tiempo asimilar lo que Keizer estaba a punto de decir. Había aprendido a no precipitarse. Se echó hacia delante en su silla, ligeramente encorvado, como si tratara de parecer más pequeño. Valentine parecía estar más a gusto, y su semblante reflejaba el mayor interés. ¿Qué demonios tendría que contarles el señor Keizer? ¿Para qué los necesitaría? Estaba intrigado. Josie también se sentía emocionada. Algo interesante estaba a punto de suceder.

—Probablemente habéis oído hablar de la secta de Almas Vivas —comenzó diciendo Keizer—. Tiene orígenes americanos pero, por lo que yo sé, sólo opera en este país. Su cuartel general se encuentra en Amsterdam, pero también tienen filiales en otras ciudades. Su líder se autoproclama el Profeta, y en ocasiones el Iluminado, pero su auténtico nombre es Willem de Vries, un apellido bien holandés —el señor Keizer siguió diciendo—: Este Willem de Vries sostiene que es capaz de prever cualquier cosa. De ahí le viene el sobrenombre del Profeta. Casi llega a considerarse a sí mismo como Dios, o al menos como su directo mensajero. Eso es lo que él asegura. No sé qué es lo que pensará realmente. No he llegado a conocer a ese hombre ni he sido nunca miembro de Almas Vivas, pero sí sé que varios centenares de jóvenes son víctimas suyas.

—¿Qué le hace pensar que son víctimas? Tal vez sean felices perteneciendo a la secta —dijo Valentine.

—Ésa es precisamente la cuestión. Existe la clara evidencia de que los discípulos de Willem de Vries han dejado de ser capaces de pensar como personas libres. Han sido adoctrinados, lo que ha menoscabado su capacidad de discernimiento. No sé exactamente cómo lo consigue el Profeta, ya que sus seguidores se niegan a discutir el tema, pero yo tengo mis propias teorías.

—A mí me abordaron en una ocasión —dijo Valentine—. Al menos creo que fueron ellos.

—Inoculan sus ideas en la mente de la gente —dijo Keizer—. Quieren ganar almas, pero jamás admiten que se ponga en tela de juicio a su maestro. La policía ha tratado de infiltrarse en el movimiento, pero sin resultado alguno. Reconocieron inmediatamente a los dos agentes que intentaron introducirse en el grupo.

»Todo lo que sé sobre el movimiento es esto —siguió diciendo Keizer—. Cualquier chico o chica que se incorpora a Almas Vivas cambia por completo, y no suele ser a mejor. Los jóvenes son apartados gradualmente de sus familias hasta convertirse en unos extraños para sus propios padres. Dejan el centro educativo y abandonan su formación intelectual. Dicen que el Profeta les enseña todo lo que merece la pena ser aprendido. Se les anula su voluntad, su personalidad. Se hacen con todo el dinero que pueden en casa de sus padres para llevarlo a su nuevo hogar. Se han dado casos de familias en las que al fallecer uno de los padres, los chicos han tratado de obligar a su otro progenitor a vender la casa con el fin de recibir la herencia. ¿Y os imagináis cuál es el destino del dinero? El problema es que la gente que dirige Almas Vivas no ha cometido todavía ninguna acción realmente ilegal, al menos estrictamente hablando.

—¿Dijo que necesitaba nuestra ayuda? —quiso saber Paul.

—Está claro —dijo Josie—. Mi abuelo quiere que nos convirtamos en miembros de Almas Vivas, y así poder averiguar exactamente cómo funciona la secta. No me equivoco, ¿verdad, abuelo?

—Has dado en el clavo —dijo Keizer.

—¡Fantástico! —exclamó Josie—. Yo entro en el juego, ¿y vosotros dos?

—Antes quiero hacer una pregunta —dijo Valentine.

—¿Sólo una?

—En cualquier caso, una para empezar. Usted dijo que estaba retirado. Entonces, ¿por qué se involucra en este asunto? ¿Se trata de algo que dejó sin terminar y que quiere acabar ahora de forma autónoma?

—No. La policía no sabe nada acerca de mis planes. El año pasado, cuando aún era comisario, no me hubiera atrevido a implicar a jóvenes como vosotros. No lo hubiera visto correcto. Ahora es distinto, pues todo depende de mí. La policía sólo intervendrá en el momento que se descubran indicios de criminalidad.

—Eso no es realmente a lo que me refería —dijo Valentine—. ¿Por qué es esto tan importante para usted, que prosigue las investigaciones a pesar de estar jubilado? Quizá porque hay algunos hechos que han quedado sin aclarar, y son realmente graves.

—Tienes toda la razón —dijo Keizer.

Valentine y los demás eran todo oídos. Keizer no había terminado su respuesta. No había querido discutir algunos de sus motivos con ellos, pero era natural que los ayudantes que había elegido los quisieran conocer.

—Tiene que ver con algo que sucedió hace cuatro años —dijo Keizer—. Unos amigos míos acudieron a mí y me contaron que su hija de dieciséis años se había adherido a Almas Vivas. Por aquel entonces yo sabía incluso menos acerca de esa secta que lo que pueda saber ahora. Querían ayuda para recuperar a su hija. Hablé con la chica, pero me habría dado igual haber intentado dialogar con un muro de hormigón. No saqué nada de aquella charla. Los miembros de la secta no escuchan nada que no sea la palabra del Profeta.

»Envié a un policía al cuartel general de la secta —siguió diciendo Keizer—. No sirvió de nada. Le dijeron que la joven era libre para entrar y salir cuando le viniera en gana, y que podía abandonar la secta si así lo deseaba. Entonces fui yo mismo, pero no me dejaron hablar con Willem de Vries. Las dos mujeres que me recibieron parecían ser una especie de sumas sacerdotisas. Dejé bien claro que no iba a soportar aquella situación. Los amenacé con llevar a cabo un registro domiciliario. En realidad, no tenía derecho a hacerlo, pues no había justificación legal en la que apoyar tal medida. Ellos probablemente lo sabían muy bien, pero a pesar de todo liberaron a Carrie, la hija de mis amigos. Supongo que no querían tener líos con la policía. Aquello destrozó a la chica. Llegó a rechazar la comida, a sentir absoluta repugnancia por ella. Fue peor el remedio que la enfermedad, no solamente para la chica, sino también para sus padres. Estaban desesperados. Llegaron hasta suplicar al Profeta que la readmitiera, pero éste se negó. Carrie acabó teniendo que ser ingresada en un psiquiátrico y allí sigue. Mis amigos no me echan la culpa a mí, pero yo me siento terriblemente culpable y he estado rehuyéndolos desde entonces. No tenía valor para preguntarles por el estado de salud de Carrie. Ahora tal vez comprendáis por qué Almas Vivas no me deja en paz, incluso a pesar de encontrarme jubilado.

Los tres jóvenes comprendieron las razones que impulsaban a Keizer.

—¿Me ayudaréis? —preguntó.

—En principio, sí —replicó Valentine—. Pero ¿qué es lo que quiere que hagamos exactamente? ¿Hacernos miembros de la secta? Y luego ¿qué? ¿Y cuándo? Tengo una reserva para la travesía de mañana por la noche a Inglaterra.

—Será para la travesía del domingo por la noche —le corrigió Keizer—. Hoy estamos a viernes.

—Me había olvidado. Usted lo sabe todo.

—Lo que os estoy pidiendo es que renunciéis a vuestras vacaciones, al menos a la primera parte de ellas. Sé que es pediros mucho. Más tarde discutiremos lo que haremos exactamente. Debería añadir que esta operación pudiera no estar exenta de peligros. No me refiero a peligros en el sentido de que os vayan a pegar un tiro o un navajazo, sino a peligros psicológicos. Este hombre al que denominan el Profeta tiene métodos muy eficaces de lavar el cerebro.

—Si lo que predica son majaderías —dijo Paul reflexivamente—, no puedo imaginarme creyente de una sola palabra de sus doctrinas.

—No hables demasiado impulsivamente. Todo el mundo es susceptible a algún tipo de influencia, lo que en sí es positivo; puede ayudar mucho al progreso personal apoyarse en los conocimientos y experiencias de los demás. El mundo está lleno de líderes, algunos importantes, otros menos. Las fábricas necesitan líderes, al igual que las escuelas, los clubes, y cualquier grupo. Llegaría incluso a afirmar que el liderazgo es esencial para que las cosas funcionen bien. Los líderes son necesarios en el campo de fútbol y en los grandes almacenes, en el gobierno y en los tribunales de justicia. Pero todo depende de las buenas cualidades del líder. Si éste motiva a todos aquellos que trabajan con él, haciendo salir lo mejor que hay en ellos, y consiguiendo que piensen en lo que están haciendo y que tomen la iniciativa, su liderazgo es bueno. Pero si, por el contrario, el líder trata de someter espiritualmente a la

71

gente e impedirles que piensen por sí mismos, como lo hace Willem de Vries, entonces su liderazgo es malo y peligroso.

—De modo que este hombre quiere que la gente piense de cierta manera y crea en ciertas cosas —dijo Valentine—. ¿Sabe cómo lo consigue? ¿Qué métodos emplea?

—Desgraciadamente, sé muy poco. Los miembros de Almas Vivas son muy reservados y no admiten estar sujetos a influencia alguna. Creen estar siguiendo al Profeta libre y voluntariamente.

—¿Qué le impulsó a elegirnos a nosotros? —preguntó Valentine.

—Indagué en los informes personales de mucha gente joven. Conozco muchas cosas sobre ti y Paul, y creo que sois las personas adecuadas para este trabajo.

—Me gustaría ayudarle —dijo Valentine—. Iré a Inglaterra más adelante. Las vacaciones de verano son muy largas.

—Genial —exclamó Josie—. Abuelo, tú ya sabías de antemano que yo accedería.

Todas las miradas se dirigieron a Paul.

—Me gustaría disponer de unas cuantas horas para pensármelo.

—Bien —dijo Keizer—. Entonces, sugiero que dejemos todo por hoy. ¿Podríais volver por aquí mañana a la misma hora?

Los tres jóvenes asintieron con la cabeza y tras despedirse abandonaron la estancia. Josie también se marchó, pues no quería recibir un trato distinto. Cuando llegaron a la calle, Valentine sugirió:

—¿Por qué no vamos a tomar un café o una cerveza a alguna parte? Me parece que sería bueno llegar a conocernos un poco.

La idea les pareció bien a todos. Se sentaron en una terraza soleada, bajo una sombrilla color naranja. Los muchachos se contaron brevemente algunas cosas sobre sus propias vidas, tímidamente al principio, para luego ir cobrando más confianza.

—Así que eres barón —dijo Josie—. ¿O sólo lo es tu padre?

—Parece que yo también lo soy —dijo Paul—. Pero no te

preocupes por el tratamiento. Puesto que eres la nieta del comisario, ¿por qué no me llamas simplemente Paul?

—En una ocasión pasé una tarde en lo que se llamaba un grupo de oración —dijo Valentine—. Fue muy extraño. Entró un hombre con muletas y se sentó en la primera fila. Incluso antes de que el líder comenzara a hablar podía verse cómo la fe dimanaba de los ojos del inválido. El predicador, por llamarlo de alguna manera, era un hombre corpulento con la cabeza tan calva como una bola de billar. Tengo que admitir que decía cosas muy hermosas. Estaba claro que dirigía todas sus palabras al hombre de las muletas. En un momento dado empezó a rezar en voz alta. Invitó a todos a que lo hicieran y que rezaran especialmente «por el hermano enfermo». Tuve la impresión de que aquella noche iba a ser testigo de un milagro. Otras personas se pusieron a rezar con él en una extraña jerga. Parecían estar rezando en lenguas extranjeras. Entonces el predicador exclamó con voz solemne y autoritaria: «Hermano, ponte en pie». Y, efectivamente, el hombre de las muletas se puso en pie y dio un par de pasos vacilantes en dirección al hombre calvo. «¡Alabado sea Dios!», gritó el predicador, y todos los presentes se hicieron eco, entusiasmados, con gritos de «¡Alabado sea el Señor!», «¡Aleluya!» y «¡Amén!» Entonces el predicador arrojó las muletas contra la pared mientras todos los reunidos exclamaban «¡Aleluya!» una vez más.

—¿Se curó para siempre? —quiso saber Josie.

—En varias ocasiones a lo largo de la velada vi a aquel hombre dar un par de pasos titubeantes. La persona que me había llevado a aquel encuentro de oración me dijo más tarde que el lisiado saltó por encima de la puerta del jardín cuando llegó a su casa. No estaba allí para verlo, por lo que no llegué a creérmelo. Todo lo que sé es que el inválido caminó durante el acto religioso.

—Y todo gracias al poder espiritual del calvo —dijo Josie escépticamente.

—Probablemente. ¿Es eso tan malo? Yo solía drogarme y lo dejé gracias al poder espiritual de una anticuada tía mía que vive en el campo.

—¿Así que has sido drogadicto? —preguntó Paul.

—Sí. Y es una experiencia que no se la recomiendo a nadie.

Los tres jóvenes se quedaron en silencio y no quisieron ahondar en el tema. Paul pidió tres cervezas, para hacer bajar el café, según dijo. A Josie le cayeron bien Paul y Valentine. El alto era bastante callado, pero tenía una mirada amistosa. También era bien parecido, aunque sin llamar la atención. Valentine era menos atractivo, pero parecía una especie de superestrella. A Josie le pareció que podía confiar en él. Era la tranquilidad personificada y siempre parecía encontrar la palabra o la frase oportuna.

—¿Pensáis que será peligroso introducirse en Almas Vivas? —preguntó Josie.

—No mucho —respondió Paul.

—Con tu envergadura difícilmente has de temer a nadie.

—Más bien vamos a estar tratando con mentes —puntualizó Valentine—, con almas.

Paul seguía sin ver la existencia de mucho peligro.

—Si uno no quiere algo, es que no lo quiere —dijo—. A mí no me engaña un iluminado. A menos que merezca que se crea en él, lo cual es algo que no estoy en condiciones de enjuiciar por el momento.

—No sé —dijo Valentine—. ¿Qué piensas tú, Josie?

—Mis padres jamás me han permitido sostener vaguedades. Es decir, cosas que no puedo apoyar con razonamientos lógicos. Si Willem de Vries es un charlatán, no me voy a dejar embaucar. Otra cosa distinta es si su causa es buena. Siempre me rindo ante un razonamiento coherente.

—No estoy totalmente seguro de poder resistirme a ser influenciado o adoctrinado —dijo Valentine—. Pensad en toda esa gente que ha sido influida por la propaganda política o religiosa. O por los mitos de que una raza es superior a otra, de que los blancos son mejores que los negros. No estoy tan seguro de mí mismo. Creo que necesitaré de vuestra ayuda si he de mantener mi sentido de la realidad.

—Aún no sabemos si Paul va a participar con nosotros —dijo Josie.

—Lo haré.

—¿No deberías esperar a recibir el permiso de tus padres?

—Mi padre me escribirá para decirme que es asunto mío.

—Entonces bebamos por el éxito de nuestra empresa, por nuestro trabajo en equipo y por una vida breve de Almas Vivas —dijo Valentine.

—Chin, chin —dijo Paul.

—¡Aleluya! —añadió Josie.

MIENTRAS TANTO EL LARGUIRUCHO de Leo no había estado ocioso. Keizer le había encargado que averiguara todo lo que le fuera posible acerca de Willem de Vries, alias el Iluminado; en especial acerca de cualquiera de sus debilidades que pudieran utilizarse contra él más adelante. El propio Keizer había recogido todos los recortes de periódicos que trataran sobre la secta. La labor de Leo era conversar con la gente que De Vries había conocido, reunir información de los centros donde había estudiado, y así sucesivamente. Aquella tarea le venía como anillo al dedo. Metía la nariz en cada rincón y rendija, a la manera de un pájaro que hurga con el pico en la corteza de un árbol para buscar insectos. Leo daba cuenta de todos sus hallazgos a Keizer, que consiguió, al fin, levantar un expediente sobre Willem de Vries.

EL CASO WILLEM DE VRIES

Willem de Vries nació el 14 de octubre de 1938, y fue el vástago más joven de un tendero de una pequeña ciudad de provincias. La tienda de su padre había conseguido para la familia un nivel de vida aceptable. Willem tuvo que repetir dos cursos en el bachillerato; pero al fin logró aprobar el examen de grado. Fue miembro de la sociedad dramática durante años, pero nunca interpretó papeles destacados. Trató de convertirse en presidente de varias de las asociaciones de la escuela, como, por ejemplo, el club de fútbol, el consejo de alumnos y la sociedad católica de los carnavales, a pesar de que él era protestante. Nunca llegó a pasar de tesorero, cargo que desempeñó de forma eficiente. Ingresó en la facultad de Derecho de la Universidad de Utrecht. Pero dejó esa carrera por la de Teología. Al fin intentó hacer las dos, pero sin ser en ninguna un alumno brillante. En la universidad trató de nuevo de llegar a ser presidente de comités y asociaciones, pero sin éxito. En una ocasión oyó decir a alguien: «¿De Vries? Es un alumno corriente».

Abandonó la universidad antes de finalizar sus estudios y estuvo trabajando los siete años siguientes como promotor de ventas y, a veces, como importador. Medía un metro setenta y seis, color castaño claro su cabello y sus ojos, y una boca enorme. Su nariz era bastante pequeña. Impresionaba, hasta cierto punto, verle apretar las mandíbulas, en un gesto voluntarioso. Quería dar a entender que tenía energía suficiente para hacer funcionar las cosas. Pero los resultados eran generalmente decepcionantes.

Tuvo infinidad de novias, pero no llegó a casarse con ninguna de ellas. Era generoso, le gustaba la conversación —aunque no solía tener cosas interesantes que decir— y se le daba bien el hacer cumplidos. Las chicas que carecían de seguridad en sí mismas se veían atraídas por él. De Vries tenía talento para sacar a la luz sus incertidumbres y luego tranquilizarlas. Las chicas le decían a menudo que era fantasioso, cosa que siempre había sospechado. Desgraciadamente, los hombres que le rodeaban, profesores, miembros de comités, patronos o clientes, no parecían darse cuenta de sus cualidades. Acabó perdiendo el empleo.

—Padecía de megalomanía —su antiguo jefe le comentó a Leo Wagenaar—. Ese hombre se consideraba demasiado bueno para el tipo de trabajo que desempeñaba. No dejaba de aspirar a coches más grandes con los que impresionar a sus clientes, y cuando estaba con ellos, hablaba más de sí mismo que del producto que tenía que vender. Al final tuve que despedirle.

Los seis años siguientes Willem de Vries se los pasó vagando por el extranjero, principalmente por País de Gales e

Irlanda. Ejerció alternativamente los oficios de vendedor y predicador, aunque también afirmaba ser escritor y filósofo. Para cuando regresó a Holanda, se había convertido en un individuo bastante distinguido; su pelo había crecido y estaba completamente encanecido. Fue entonces cuando fundó el movimiento de Almas Vivas junto con un primo segundo —que había acabado la carrera de Derecho— y tres amigas suyas. Aparte de este grupo inicial, constituía un misterio cómo había hecho sus primeros prosélitos. Fijó en Amsterdam el cuartel general de lo que denominaba su «manantial de salvación».

De Vries había creado su secta cuando tenía cuarenta años; hacía ocho. En sus comienzos, discutía sobre cuestiones doctrinales con representantes de otras sectas. Era difícil derrotarle dialécticamente debido a su locuacidad y al lenguaje ampuloso que empleaba. No tenía apenas sentido del humor, pero irradiaba una enorme convicción en todo lo que decía. Más adelante se negó a ver a nadie que no perteneciera a la secta de Almas Vivas, y recientemente incluso había estado rehuyendo a los miembros «corrientes» de su movimiento. De Vries se estaba volviendo más exclusivo.

Leo Wagenaar averiguó que Willem de Vries tenía debilidad por las mujeres, la numismática y Bach. A Keizer le faltaba todavía por descubrir si alguna de estas aficiones podía convertirse en su tendón de Aquiles. No tenía antecedentes penales; la tarea de su primo era asegurarse de que en las actividades de la secta no se cometiera ningún hecho delictivo claro.

Poco pudo averiguarse acerca de sus hábitos más recientes. En el pasado, De Vries había bebido con moderación, pero nunca había consumido ningún tipo de drogas. Su salud era buena, aunque a veces sufría de estreñimiento, lo que afectaba su estado de ánimo.

Leo concluyó su informe señalando que el Profeta había dejado el viejo «Escarabajo», su coche sempiterno, hasta hacía poco tiempo. Estaba claro: también había mejorado su gusto en cuestión de automóviles.

5

TRES días después, hacia las ocho y media de la tarde de un lunes, Paul estaba apoyado en la balaustrada de un puente, contemplando el agua con aire de desesperación. Aún había algo de luz diurna. El Leidseplein a su izquierda y el patio delantero del Hotel Americano a su espalda estaban atestados de turistas. Keizer le había dicho que allí operaba Almas Vivas. Paul no miraba a su alrededor. Estaba tratando de centrarse en pensamientos sombríos con el fin de dar la impresión de encontrarse en un estado de total desesperación. Cuando uno se siente melancólico es difícil superar ese estado de ánimo; pero es muy difícil también dejarse invadir artificialmente por la melancolía.

Le seguía angustiando interiormente la historia de Keizer sobre la chica que había acabado siendo ingresada en un hospital psiquiátrico. Algo así no se debía repetir. En cuanto Paul asimiló todo lo que les había contado Keizer, puso manos a la obra con tanto empeño como sus dos compañeros. Aquella misma mañana acababa de recibir una carta de sus padres concediéndole su autorización para participar en aquella misión, al mismo tiempo que le instaban a actuar con precaución. Paul había sugerido a su amigo Toby que colaborara con ellos, ya que no iba a pasar el verano con sus padres en Venezuela y no esperaba con ilusión precisamente las interminables semanas que se avecinaban en una «Cámara de Tortura» virtualmente vacía. Sin embargo, Keizer rechazó la idea y ni siquiera les dijo si Toby figuraba en sus archivos.

—Tres ayudantes es más que suficiente —dijo frunciendo el ceño.

Les advirtió que contaba con su total discreción. No deberían comentar el proyecto con nadie, ni siquiera con amigos íntimos como Toby.

Con el rabillo del ojo Paul escudriñó a la gente que se sentaba junto a las ventanas de la cafetería del Hotel Americano. Estaba abarrotada. Tan pronto como algún cliente se levantaba para marcharse, su lugar era ocupado por otros que habían estado aguardando de pie. A su derecha, los vehículos circulaban velozmente por la calle principal, situada al otro extremo del puente, en acusado contraste con el ambiente relajado existente a su izquierda.

¿Había escogido el sitio adecuado? Ya llevaba allí media hora. Paul notó que alguien se le acercaba por la espalda; por fin se colocó a su lado. Era aproximadamente de su misma edad.

—¡Hola! —dijo el extraño; Paul no contestó al saludo—. Me llamo Louis —Paul siguió sin responder—: Tú ya has sufrido todo lo que eres capaz de aguantar, ¿no es cierto? Llevas aquí un buen rato. Te he estado observando.

—Vete al infierno —dijo Paul.

—Me parece que podría ayudarte.

Paul miraba fijamente al agua del canal. Bajo él pasaban flotando los desperdicios habituales: bolsas de plástico, cartones de cigarrillos vacíos, una almohada...

—Si tienes problemas, será mejor que los compartas con alguien. Te ayudará el tener compañía —dijo Louis.

«Debe de ser un miembro de Almas Vivas», pensó Paul.

—Ocúpate de tus propios asuntos —dijo con un gruñido.

—Piénsatelo —dijo el desconocido—. Adiós.

«He echado a perder esta oportunidad —pensó—. Fui demasiado hostil. Qué estúpido he sido.» Por vez primera aquella tarde su ánimo se ensombreció realmente. Decidió quedarse allí un rato más. Louis podría regresar, o tal vez enviar a otro miembro del grupo a enseñar al chico desalentado del puente el camino que conduce a una vida mejor y más plena.

Sólo tuvo que esperar cinco minutos. Esta vez vino una chica. Tenía un aspecto bastante agradable, con sus vaqueros, una camiseta amarilla y una bufanda a la moda alrededor del cuello.

—¡Hola! Soy Céline —dijo la recién llegada—. Louis me ha dicho que estás a punto de saltar desde el puente.

—No seas boba. No estoy tan loco como para suicidarme. Que ése se meta en sus cosas.

—Sus intenciones son buenas. Sólo quiere ayudarte.

—No necesito la ayuda de nadie.

—No digas eso. Todos necesitamos algún tipo de ayuda.

—Y tú, ¿cómo lo sabes, monada?

—Pues porque lo sé. Eso es lo que nos han enseñado.

—¿Quién os lo enseña? —preguntó Paul.

—Alguien que sabe de lo que está hablando. ¿Cómo te llamas?

—Paul.

—Escúchame, Paul, ¿te gustaría venir conmigo y conocer nuestro grupo?

—¿Qué clase de grupo es ése?

—El sitio está muy cerca de aquí. Casi todos sus miembros son de nuestra edad, aproximadamente.

—¿Tiene algo que ver con el Ejército de Salvación o algo así?

—No.

—Es el único grupo que conozco. ¿Cuál es el tuyo?

—Es sólo un lugar donde podemos charlar, estar juntos y esas cosas. Ya lo verás por ti mismo.

—De acuerdo.

Los dos jóvenes emprendieron el camino hacia el Prinsengracht. Paul sabía con exactitud dónde se encontraba el edificio de Almas Vivas y, sin ningún género de dudas, se dirigían a él. La secta ocupaba tres casas adyacentes junto al canal, habilitadas de tal modo que formaban un gran caserón único detrás; pero conservaban sus fachadas respectivas.

Céline cogió a Paul de la mano y le condujo a través de la puerta principal. «Me siento como si me llevaran al altar —pensó Paul—, ¿o tal vez al matadero?» Los dos jóvenes llegaron a un gran vestíbulo, prácticamente desierto; sólo había en él tres chicas sentadas en un rincón.

—Aquí no hay mucha diversión —dijo Céline—. Vamos, subamos.

Los dos tropezaron en las escaleras con una mujer que debía de tener alrededor de treinta años. Los paró y preguntó:

—¿Quién es éste, Céline?

—Es Paul Mathair —Paul percibió el tono de respeto que Céline dejaba traslucir en su voz.

—Bienvenido, Paul. Estoy segura de que esto te gustará —la mujer estrechó la mano del chico y siguió bajando las escaleras.

—¿Quién era ésa?

—Una de nuestras Eminencias —contestó Céline.

—¿Y qué son las Eminencias?

—Ya te enterarás.

Llegaron a una habitación donde unos doce jóvenes estaban sentados en sillas de mimbre alrededor de una mesa baja y alargada en la que reposaban unas tazas de café vacías, un par de termos y un azucarero. Su edad oscilaba entre los quince y veinte años. El que estaba hablando parecía algo mayor, y tal vez tuviera veinticinco. Se levantó cuando Paul y Céline entraron en la estancia y se acercó a ellos.

—¿Has traído a un amigo, Céline?

—Sí. Es Paul. No es muy feliz y pensé que vosotros tal vez podríais animarle.

—Por supuesto. Bienvenido, Paul. Soy Johan. Éstos son Kim, Bart, Henk... —Johan siguió nombrando a todos los que le acompañaban alrededor de la mesa—. Henk también es nuevo aquí.

Paul se sentó en la silla que le asignó Johan, con Céline a su lado.

—Johan es un TES —Céline susurró al oído de Paul—. Es una especie de líder de grupo.

—Si te parece bien, vamos a seguir con Henk —le dijo Johan a Paul—. De acuerdo, Henk. Así es que tuviste que repetir cuarto y tu novia rompió contigo. Qué mala suerte. ¿Cómo se llamaba tu novia?

—Ria.

—¿Sale ahora con algún otro chico?

—No lo sé. Probablemente.

—¿Por qué dices probablemente?

—A ella no le gusta quedarse sola y disfruta con que la saquen por ahí. Ni siquiera se paga su propia entrada cuando la llevan al cine.

—Suena como si se le diera bastante bien el utilizar a la gente.

—Así es, efectivamente.

—Entonces, ¿qué te hace estar tan loco por ella?

—Realmente no lo sé —respondió Henk—. A veces hasta llego a odiarla.

—¿Y qué me dices del instituto? ¿Por qué tuviste que repetir curso?

Paul escuchaba con interés. El tono de voz de Johan era cariñoso, pero firme, y a Henk no parecía darle vergüenza compartir detalles íntimos de su vida con un grupo de extraños. Paul supuso que él sería el siguiente. Los tres jóvenes colaboradores de Keizer habían practicado un poco con él este tipo de situaciones, y el antiguo comisario les había aconsejado que se ciñeran a la verdad tanto como les fuera posible. Una vez que se empezaba a decir mentiras, era difícil acordarse de lo que se había dicho, por lo que era recomendable mantener la veracidad y consistencia de las declaraciones que hicieran.

Así es que cuando a Paul le llegó el turno de someterse a este cordial pero firme interrogatorio contó que estaba solo gran parte del tiempo. Habló sobre su época en el colegio de primera enseñanza, su estatura desmesurada, sus ansiedades, sobre cómo su mente funcionaba con lentitud, lo que hacía que a menudo no entendiera los chistes y las bromas que le gastaban, y también acerca de su marginación social, tal vez debida a que era un barón, como su padre.

—Hay alguien que puede ayudarte a ti y a Henk —dijo Johan—. Probablemente pensarás que me estoy refiriendo a Dios, y que voy a decirte que reces y que tengas fe. Eso es lo que te dicen en la iglesia, y no suele ayudar gran cosa. Dia está muy lejos de nosotros.

—Dia es nuestra forma de llamar a Dios —susurró Céline.

—Me refiero a alguien que está cerca, aquí mismo, en este edificio —siguió diciendo Johan, mientras miraba a Paul y luego a Henk. Ninguno de los dos dijo una sola palabra. Aguardaban la revelación final—. Nosotros le llamamos el Profeta. Se trata del representante de Dios en la Tierra, el Iluminado. Y está aquí.

—¿Podemos verle? —preguntó Paul.

—Sí, pero no en este momento. Primero debéis lavaros.

—¡Pero si me ducho todas las mañanas! —exclamó Paul indignado.

Todos se echaron a reír. ¡Qué ignorante! ¡Mira que pensar que una ducha podía dejarle a uno limpio!

—Tenéis que lavaros espiritualmente —explicó Johan paciente—. Cada viernes el Profeta dirige la palabra a las almas vivas; es decir, a los miembros del movimiento. Disculpadme que os lo diga, pero tú y Henk sois almas muertas. ¿Me comprendéis? Un alma viva no se detiene a contemplar lúgubremente el canal, no sufre depresiones por una chica que ni siquiera merece la pena. Sois almas muertas, los dos, pero tenéis la oportunidad de volver a la vida. Podréis encontraros con el Profeta y sentir su mano en vuestro corazón.

—Obair Biadh, el Profeta prevé —entonaron los presentes, excepto Paul y Henk.

—Os explicaré esto más tarde —dijo Céline.

—¿De qué manera llegaremos a lavarnos perfectamente? —preguntó Henk.

—Con estropajo y toallas ásperas —respondió Johan—. Debo avisaros que os llevará tres días, miércoles, jueves y viernes, de nueve a cinco. Pasaréis luego la noche en vuestras casas. Se os sumergirá en lo que se conoce espiritualmente como un baño helado. Tenéis que aprender a daros cuenta por vosotros mismos de lo muerta que está vuestra alma. Sólo entonces podréis resucitar. Es posible. Os aseguro que lo vais a conseguir. Una vez que seáis lavados, comenzaréis una nueva vida.

—Obair Biadh, el Profeta prevé —entonaron de nuevo los presentes.

—Se me ocurre una pregunta —dijo Paul—. ¿Va a costarnos dinero?

—En principio, no. Si podéis disponer de algún dinero nos

vendría bien, ya que nuestros costes de mantenimiento son elevados. Pero no es estrictamente necesario.

—Me gustaría lavarme —dijo Paul. Nunca en su vida había decidido algo con tanta rapidez, pero esta vez el terreno había sido preparado minuciosamente.

—Y a mí también —dijo Henk.

—No tenéis que decidirlo tan deprisa. Venid por aquí esta semana cuantas veces queráis y todo el tiempo que os plazca. Siempre encontraréis a alguien con quien poder hablar. El curso no empieza hasta la próxima semana.

—Yo lo haré —dijo Paul con decisión.

—Ahora es mi turno de hacer una pregunta —dijo Johan—. ¿Reconocéis ambos haber tomado esta decisión voluntaria y libremente? A veces se nos acusa de influenciar a la gente, e incluso de obligarlos a obrar de una determinada manera. ¿Veis esa puerta? —preguntó Johan teatralmente, señalándola—. Nunca se cierra con llave. Sois libres para marcharos en cualquier momento, y no regresar, si así lo deseáis. ¿Queda eso claro de una vez por todas?

Paul y Henk asintieron con la cabeza.

—Entonces volved por aquí cuando queráis —dijo Johan.

HACIA LAS DIEZ Y MEDIA, al mismo tiempo que Paul salía de la sede de Almas Vivas, entró Valentine. Paul estuvo a punto de saludarle, pero se acordó justo a tiempo de que no debían dejar ver que se conocían. Valentine entró por la puerta y preguntó si alguien podía facilitarle información sobre el movimiento. Dijo que había oído hablar de él y que le gustaría conocerlo mejor. Entonces se le acercó Johan, el mismo individuo que había atendido a Paul:

—¿Por qué quieres saber más acerca de nosotros? —preguntó con suspicacia.

—En teoría yo soy un cristiano protestante —le dijo Valentine—, pero el cristianismo nunca ha significado gran cosa para mí. Creo en Dios, pero él no desempeña un papel importante en mi vida. Nunca he llegado a notar que Dios se tome ningún interés por mí. ¿Por qué iba a hacerlo, después de todo? Pero noto un vacío de algo.

—Entonces has llegado al lugar adecuado, amigo.

A Valentine le proporcionaron suficiente información como para interesarse por el proceso de lavado espiritual que iba a tener lugar el miércoles, jueves y viernes de la semana entrante, y prometió asistir. De nuevo se hizo hincapié en la objetividad y libertad con la que debería adoptar su decisión.

—Si el jueves pierdo todo interés en el movimiento, ¿puedo abandonar?

—En cualquier momento.

—Y si me quedo, ¿cuánto me costará?

—Mucho, poco o nada, como tú quieras.

—Bien. Vendré el próximo miércoles —dijo Valentine.

—Si te apetece dejarte caer por aquí antes, serás bienvenido.

—Tal vez lo haga. Gracias.

AL ATARDECER DEL DÍA SIGUIENTE, martes, Josie se encontraba inmersa en un mar de lágrimas sentada en un banco próximo al Leidseplein. Antes de haber terminado con su suministro de pañuelos, una chica de Almas Vivas se acercó a consolarla y a llevarla al edificio de la secta. Josie le contó que no era feliz porque tenía la impresión de que sus padres estaban a punto de divorciarse. La muchacha recordaba perfectamente cómo se había sentido siete años atrás cuando sus padres habían tenido realmente problemas, y eso daba incluso mayor credibilidad a la interpretación de su papel. Los miembros de la secta eran comprensivos y ofrecían un futuro risueño en la persona de su Profeta. Josie dijo que ella también volvería y que le gustaría participar en el ritual de lavado espiritual la semana siguiente.

A LAS DIEZ Y MEDIA DE LA NOCHE de aquel mismo día, los tres jóvenes y Keizer se reunieron en un café situado a mucha distancia del Leidseplein.

—Hasta ahora todo ha ido sobre ruedas —dijo Keizer—. Mi enhorabuena. Almas Vivas os ha admitido a los tres a su ceremonial de iniciación. Se trata de un cierto tipo de lavado de cerebro, pero no sabemos en qué consiste exactamente. Sospecho que intentan por todos los medios conducir a los aspirantes a tal estado de desesperación espiritual que, cuando el Profeta haga finalmente su aparición, será recibido como un auténtico salvador. Los nuevos miembros llegan entonces a admirarle y a quererle, con lo que consigue un cierto poder sobre ellos.

—Hay algo que no comprendo —dijo Paul—. Consideremos a Johan. A mí no me pareció que estuviera preparando el terreno para una especie de conspiración.

—¿Una conspiración?

—Sí, la de esclavizar a jóvenes normales y convertirlos en ciegos seguidores de un megalomaníaco lleno de frustraciones que ni siquiera acabó sus estudios.

—Estoy convencido de que Johan cree plenamente en Willem de Vries —dijo Keizer—. El Profeta también cree plenamente en Willen de Vries, así como Willem de Vries cree en el Profeta. Nunca lo olvidéis. Incluso en el caso de que hayan cometido algún acto delictivo, habrán obrado con la firme convicción de que pertenecen a la auténtica fe.

—Estoy seguro de que usted tiene razón —dijo Valentine—. Si he comprendido bien la Historia, la Inquisición torturaba a los llamados herejes con la firme creencia de que estaba prestando un buen servicio al cristianismo. Es increíble.

—Efectivamente. Muy pocas iglesias, sectas o movimientos religiosos se han salvado de cometer terribles atropellos en nombre de sus dogmas. Por eso es el fanatismo tan peligroso; no debemos nunca dejar de pensar por nosotros mismos; y jamás tenemos que obedecer incondicionalmente las directrices de un maestro, de cualquier tipo que sea.

—Debo decir que me parecieron muy amistosos —dijo Josie.

—Asombrosamente amistosos —confirmó Paul.

—Son unas pobres víctimas —dijo Keizer—. Han sido programados para pensar y comportarse de una manera determinada; no pueden obrar de modo distinto.

—No estoy tan seguro de que sea así —dijo Paul—. Estoy de acuerdo en que creen en alguien. ¿Y quién no lo hace? ¿Por qué no iban a creer en lo que les parezca oportuno?

—No creen en lo que les gusta, sino que creen en lo que le gusta a otra persona.

—Yo no estoy tan seguro de eso —dijo Paul sin dejarse convencer.

—No obstante, sería prudente que lo que os he dicho sirviera como punto de partida.

—No tiene sentido, comisario —dijo Paul—. Usted está en contra de que a los miembros de la secta se les impongan puntos de vista, pero al mismo tiempo quiere que yo crea en algo que no es el resultado de mi observación personal. Eso también es adoctrinar.

Valentine y Josie se echaron a reír.

—Tiene razón.

Keizer no se rió.

—En cierto modo tienes razón, Paul. Todo se debe a que no me siento tranquilo, pensando en el lío en que os he metido y empezáis la semana que viene. Mantened vuestras mentes bien alerta. No bajéis la guardia. No perdáis vuestro sentido crítico. Y si a alguno de vosotros le parece que no puede aguantarlo más, abandonad. Nadie os va a despreciar por ello. Nos reuniremos aquí todas las noches y así podremos decidir a diario si seguimos o no con nuestra empresa.

—Todo saldrá bien, abuelo —dijo Josie.

—Eso espero —dijo Keizer con preocupación.

AL ATARDECER DE LOS DÍAS SIGUIENTES, Josie, Valentine y Paul fueron con regularidad a la sede de Almas Vivas. Llegaron a conocer a mucha gente cordial y simpática que los escuchaba y mostraba interés por sus problemas. Los tres jóvenes no tenían realmente necesidad de hacer nuevas amistades y los miembros de la secta no eran el tipo de personas con las que habrían entablado amistad normalmente, pero les resultaba fácil imaginar que a alguien que estuviera realmente en un embrollo le encantaría la compañía del grupo de Almas Vivas.

Por fin llegó el momento de someterse al ritual de lavado espiritual. Sus nuevos amigos les avisaron:

—Va a ser muy duro, pero lo superaréis. Os vendrá muy bien. Al final, como recompensa, veréis al Profeta. Nosotros os ayudaremos. Y recordad, no os rindáis, aunque penséis que la cosa no tiene sentido.

La ceremonia se inició con mucha calma. Había veinticinco personas en la gran sala, quince de ellas recién llegadas, incluidos, por supuesto, Josie, Valentine y Paul. Los diez restantes dijeron que necesitaban lavarse de nuevo; más tarde resultó que estaban allí para humillar a los recién llegados, así como para mantener viva la atmósfera de grupo. Se pidió a cada uno que se presentara con unas pocas palabras. No fue nada espectacular este primer paso. Incluso algo soso; pero pronto empezaron a cambiar las cosas.

Siempre había en el escenario uno o dos de los líderes de los que estaban al frente del grupo: los denominados hombres y mujeres TES. Entraban y salían de escena, relevándose, y parecían saber de forma instintiva hasta dónde debían llegar.

—Vosotros no sois especiales —dijo el TES Govert—. Repetid conmigo: nosotros no somos especiales.

—Nosotros no somos especiales —dijo el grupo.

—De nuevo. Veinte veces. Nosotros no somos especiales. Más rápido. Dándole más ritmo. Nosotros no somos especiales —insistió Govert.

—Nosotros no somos especiales. Nosotros no somos especiales. Nosotros no somos especiales.

—Oye, tú —dijo Govert señalando a Henk—, ¿por qué no eres especial?

—No lo sé.

—Sube aquí.

Henk subió al escenario y se colocó junto a Govert en actitud sumisa.

—¿Tienes novia?

—No.

—¿Has tenido novia alguna vez?

—Sí.

—¿Cómo se llamaba?

—Ria.

—¿Y dejó de quererte?

—Así es.

—Y eso ¿por qué?

—Pues porque él no es especial —exclamó alguien.

Los miembros del grupo se dedicaron a ridiculizar a Henk durante cerca de diez minutos, llegando algunos a hostigarle verbalmente antes de que se le ordenara volver a su sitio. Govert ordenó al grupo que musitara suavemente: «Mi alma está muerta. Mi alma está muerta».

—Seguid, seguid. Decíroslo a vosotros mismos. Decídselo al compañero que tenéis al lado: Mi alma está muerta —Govert descendió del escenario y se puso a caminar entre los presentes, acercando el oído a sus labios musitantes—: ¡Muerta!

—gritó súbitamente—. Seguid. Vuestra alma está muerta.

Ahora era la TES Johanna la que se encontraba en el escenario.

—¡Silencio! —gritó. Los murmullos cesaron al instante.

—Tú, la de las trenzas, ven aquí.

Josie subió al escenario. Johanna le preguntó si tenía intención de crecer. Sus trenzas evidenciaban que deseaba permanecer para siempre junto a papá y mamá. No tenía nada que decir que mereciera la pena ser escuchado; estaba pegada a las faldas de su madre. Sin duda su papá seguía contándole cuentos a la hora de acostarse. Josie fue obligada a hablar de sus muñecas y ositos de peluche, y el grupo se echó a reír desdeñosamente cuando mencionó a Rasputín. El alma de Josie estaba muerta, de eso no cabía duda, dijo Johanna.

Valentine se fijó más en el grupo que en lo que sucedía en el estrado. Advirtió cómo Henk, la víctima hacía sólo un cuarto de hora, se había vuelto ahora tan ruidosamente burlón como el que más. Dentro del grupo era un ser anónimo; el hecho de pertenecer a un colectivo parecía que le daba energía.

—¿Cómo puede una chica de diecisiete años consentir que la sigan llamando Josie? —preguntó Yolande—. Decidlo diez veces, todos juntos, de forma que podamos oír lo ridículo que suena.

—¡Josie! ¡Josie! ¡Josie! —coreó el grupo.

«Esto es bastante cruel —pensó Valentine—, aunque Josie parece estar resistiéndolo bien.» Hacía esfuerzos por contener las lágrimas y logró responder a todas las preguntas que le formulaban. ¿Cómo arrostraría Paul aquella prueba cuando fuera su turno? «Tal vez pierda los nervios», pensó Valentine. ¿Y qué tal le iría a él? ¿De qué modo se meterían con él?

Finalmente permitieron que Josie regresara a su sitio y el proceso siguió adelante. Los presentes tenían que gritar en unas ocasiones y susurrar en otras, y en un determinado momento tuvieron que permanecer totalmente callados durante cinco minutos y pensar en sí mismos. Les preguntaron si alguien quería cantar una canción, pero nadie se prestó voluntario. Luego les preguntaron si alguien se atrevía a cantar una canción, pero tampoco hubo voluntarios. Entonces el grupo fue ridiculizado hasta tal extremo por su cobardía que finalmente un chico se ofreció voluntario y cantó «All you need is love» bastante decorosamente; pero cuando terminó, fue objeto del escarnio de los presentes por tener la presunción de creer que sabía cantar. Los integrantes del grupo acabaron acusando el castigo psicológico al que estaban siendo sometidos. De vez en cuando alguien rompía a llorar, siendo recriminado inmediatamente por ello.

Luego hicieron subir a Paul al escenario y todos empezaron a reírse de su estatura y de su cara de alelado. ¿Qué apodo le habían puesto en el colegio? Pues dijo que a veces le llamaban «niño testarudo», lo que hizo mucha gracia a los presentes.

—Tú eres un tonto —dijo Govert, volviendo a la tarima—. Repítelo.

—Tú eres un tonto —repitió Paul.

—No digas «tú eres», idiota, sino «yo soy» un tonto.

—No —dijo Paul rotundamente.

—Vamos a ver, di: yo soy un tonto.

Paul hizo un movimiento de negación con la cabeza. Entonces el grupo comenzó a silbarle.

—¿Por qué no quieres decirlo?

—Pues porque no es cierto —dijo Paul.

—Vamos, haz lo que se te dice.

—No —dijo Paul con contundencia.

Esta actitud no le hizo granjearse las simpatías del grupo, que consideraba que todos debían recibir su terapia y humillarse, incluido Paul, a pesar de su corpulencia. Finalmente le mandaron que volviera a su asiento, y todos los presentes se pusieron a silbarle hasta que se sentó.

Hubo un descanso a las doce y media para tomar un ligero almuerzo. De repente, todo pareció normalizarse, y los recién llegados fueron tratados de nuevo como gente corriente. Incluso eran alentados a seguir adelante, y a no dejarse alterar demasiado. La recompensa que les aguardaba merecía la pena, les dijeron.

Valentine estuvo charlando con Henk, quien parecía estar superando ya la pérdida de Ria.

—¿Qué te parece todo esto? —le preguntó Valentine.

—No está mal del todo.

—¿No te parece intolerable dejarles que te pongan en ridículo de ese modo?

—No; realmente, no.

—¿Por qué no?

—Pues... Cómo podría explicártelo... Somos un poco ridículos de todos modos, ¿no es cierto? A menudo me siento como un imbécil de marca mayor.

—Pero ¿no te parece absurdo dejar que un montón de extraños se burle de ti de esa manera? —insistió Valentine.

—Ya no son extraños. Ahora son mis mejores amigos.

«Henk ha decidido de antemano que no le va a importar lo que suceda —pensó Valentine—. Pueden decirle todos los disparates que les plazca.»

La tarde transcurrió de manera muy parecida a la ma-

ñana, a base de burlas y humillaciones. El grupo se fue conso-
lidando cada vez más a medida que iban dirigiendo sus burlas
sobre la pobre víctima que se encontraba en el escenario.

«Qué curioso», pensó Valentine. Había decidido contarles
que había sido drogadicto. Los presentes le atacaron por ello
una y otra vez. Le describieron como un ser débil que había
empezado a tomar drogas por placer, pero que se había dejado destruir por ellas. Nadie le preguntó cómo había dejado
el hábito. Valentine no se sentía particularmente confundido
por la presión ejercida sobre él. Fingió estar más aturdido de
lo que lo estaba realmente. No obstante, se sintió aliviado
cuando dieron las cinco y el líder del momento anunció que la
sesión había concluido.

—Nadie está obligado a regresar mañana —dijo—. Pero
hay dos cosas que querría deciros: primera, puede ser peligroso no acabar el curso. Vuestra alma está ahora a medio
abrir; para que el Profeta pueda infundir en ella un hálito de
vida el viernes por la noche, es absolutamente necesario acabar el proceso. Si ahora os echáis atrás, vuestra alma se convertirá en algo muy vulnerable y no habrá nadie a vuestro alrededor que cuide de ella. En segundo lugar, si decidís regresar, me parece oportuno pediros que no comentéis con nadie
lo que ha sucedido hoy —siguió diciendo el líder—. Después
de todo, ¿cómo podría nadie juzgar nuestras actividades a
menos que haya sido testigo de ellas hasta el final? Así es que
guardad silencio todos, ¿de acuerdo?

El grupo asintió con la cabeza. Se encontraban tan cansados que habrían accedido a cualquier cosa.

—Entonces nos volveremos a reunir mañana, a las nueve.

Aunque se morían de impaciencia por discutir las experiencias vividas aquel día, Josie, Paul y Valentine se aseguraron de no abandonar la sede de la secta al mismo tiempo.

Los tres jóvenes intercambiaron sus puntos de vista con
Keizer más tarde, en el café situado en el extrarradio de la
ciudad. Estaban algo cansados por los sucesos del día, pero no
desalentados. En general, consideraban que podrían superar
felizmente la prueba.

—Se dirigen a uno con comentarios que carecen de todo

sentido —dijo Josie—, y si intentas replicar con lógica, se burlan de ti. Sólo sigo con esto porque se trata de una buena causa. Si no tuviera una seria motivación para hacerlo, no volvería mañana.

—Pues yo sí —dijo Paul—. Debo decir que esta experiencia me parece muy constructiva. Estoy averiguando cosas sobre mí mismo que desconocía por completo.

—De todas formas —dijo Valentine—, cuento con que dos de nosotros seamos despedidos del grupo mañana o pasado mañana. Una chica llamada Josie y tú, Paul.

—¿Yo? ¿Y eso por qué? —preguntó Paul con asombro.

—Pues porque eres demasiado cabezota. Si ellos quieren que digas «yo soy un tonto» deberías decirlo. ¿Qué trabajo te cuesta? Apuesto a que no les sirven personas demasiado testarudas. Son peligrosas.

—Así es que opinas que debería hacerles el juego y aceptar sus estúpidas mentiras.

—Por supuesto. No deberías hacerte el hombre fuerte. Tendrás que desempeñar el papel de un chico lleno de frustraciones, perdido, y que no encuentra el camino de vuelta a su casa. Un tonto como tú debería estar ya a sus pies.

—¿Has captado la idea? —dijo Keizer.

—Sí, lo sé.

—Fijaos en Paul. Se parece a un rinoceronte inmutable, dispuesto a hundirse en el fango y arremeter contra ti por una menudencia.

—Vamos, hombre, espera un momento... —empezó a decir Paul, pero entonces enmudeció y se echó a reír—. De acuerdo, de acuerdo. Seré humilde mañana.

—Mientras seas capaz de reírte, no me preocuparé demasiado —comentó Keizer—. Me reuniré aquí con todos vosotros mañana a la misma hora.

—Está bien, comisario.

—Buenas noches. ¡Ah!, y no soñéis esta noche con las almas medio abiertas.

EL SEGUNDO DÍA FUE MUY SEMEJANTE al primero, aunque el grupo tuvo que entonar cantos durante horas interminables. *El Profeta prevé y provee.* Aquello los ponía en una especie de trance. *Antes yo no era nada, pero Iluminado es mi futuro.* Una y otra vez. *El Profeta prevé y provee. Antes yo no era nada, pero Iluminado es mi futuro.* Aquella jornada transcurrió más rápidamente que la anterior. Uno acaba acostumbrándose a todo. Paul admitió públicamente desde el escenario que era un tonto. Los demás le aplaudieron. Cuanto más se humillaba uno, tanto más disfrutaba el grupo. Después de un día y medio, los presentes se habían vuelto mucho más obedientes a órdenes sin sentido. «¿Obedezco por una buena razón o simplemente porque me gusta obedecer?», se preguntaba Valentine. Evidentemente, por lo primero, pero quizá también un poco por lo segundo. Era agotador no hacer caso a lo que te mandaban. Ejercían una tremenda presión sobre uno si ibas contra el grupo, y te silbaban y te vituperaban si tratabas de defender tus puntos de vista, independientemente de la validez de los mismos. Era muy cansado. Paul se puso a exagerar, probablemente para aliviar la frustración que le originó reconocer que era un tonto. Y dijo:

—¿Qué más os gustaría oír? No soy más que un aborto apestoso.

—Hay algo más todavía: tienes un mínimo de inteligencia y un máximo de arrogancia —añadió Johan a modo de ayuda.

—Así es. Soy el colmo de la vanidad y apenas tengo materia gris en el cerebro.

El grupo se echó a reír y Johan gritó:

—No tiene gracia. Vuestras almas están muertas. Éste no es un juego en el que gana la persona que dice las cosas más estúpidas sobre sí mismo. Paul no es que apeste ni que sea un aborto en el sentido de que no se lave con regularidad o que le estén creciendo cuernos, sino que es alguien que no es capaz de enfrentarse a la vida por sí mismo. Necesita ayuda y la va a recibir en cuanto reconozca que, tal como es ahora, es digno de compasión y su vida acabará convirtiéndose en un auténtico desastre.

«La táctica de desgaste está dando resultado —pensó Valentine—. Cuando uno está cansado y ha sido hecho papilla mediante todo ese acoso vociferante, acaba aceptando lo que le digan. No debo dejar de tenerlo presente, o terminaré creyendo en el Profeta.»

Durante el almuerzo, Valentine estuvo hablando de nuevo con Henk:

—¿Crees que el Profeta puede dar respuesta a cualquier pregunta? —quiso saber.

—Creo que sí. De cualquier modo, eso espero.

—Pero ¿cómo puede un hombre ser tan sabio? ¿Se trata de un enviado de Dios, como lo fueron Jesús o Mahoma?

—No lo sé. ¿Tú no crees que lo sea? En ese caso, ¿por qué permaneces aquí?

—La verdad es que no sé en qué debería creer —dijo Valentine sin llegar a comprometerse.

—Dicen que el Iluminado es una persona fantástica —comentó Henk—, y no puede ser de otro modo.

—Sí —corroboró Valentine, aunque en su interior estaba pensando lo fácil que era hacer creer majaderías a la gente.

Josie seguía bastante poco impresionada. «Una silla tiene cuatro patas, por lo que cualquier cosa de cuatro patas es una silla», se estuvo diciendo a sí misma cada vez que Govert o Yolande llegaban, según ellos, a una conclusión lógica. Las numerosas discusiones mantenidas con sus padres la habían preparado bien para aquella prueba. La falta de lógica la molestaba casi tanto como el torno de un dentista.

Aquella noche le contaron a Keizer que todo iba bien y que verían a Willem de Vries al día siguiente. Tenían curiosidad por conocerle. A Keizer le costaba trabajo valorar la influencia que el «curso» estaba teniendo en sus jóvenes colaboradores. Estaban muy alegres, se tomaban el pelo entre sí y se reían de Almas Vivas, y sin embargo... habían cambiado ligeramente a lo largo de los dos últimos días, pensó.

—Nos acaban de recordar que podríamos hacer una contribución económica mañana —dijo Valentine—. ¿Cree que deberíamos aportar algo?

—Sí —contestó Keizer—. Al menos dos de vosotros deberíais hacerlo, pero no llevéis la misma cantidad de dinero

—Keizer sacó la cartera y dijo—: Paul, cuentan con que eres rico. Aquí tienes ciento veinte florines. Valentine, opino que deberías entregar ochenta florines. Aquí tienes. Josie puede decir que no tiene dinero, que se lo pidió a sus padres y que éstos no le dieron ni un céntimo.

—¿Sale este dinero de su propio bolsillo? —preguntó Valentine.

—No te preocupes por eso.

—Así que mañana es el gran día —dijo Paul—. Mañana por la noche no podremos reunirnos aquí, pues tendrá lugar el ritual por el que vamos a ser iniciados. Espero que no duela. ¿Nos vemos el sábado por la mañana?

—Estaba a punto de sugerirlo yo mismo —dijo Keizer.

El último día del ceremonial de lavado espiritual tuvo lugar una especie de reforzamiento anímico con el fin de preparar a los iniciados para su encuentro con el Gran Líder. «Nos están sometiendo a su control, incluso antes de haberle visto», pensó Valentine. Les enseñaron canciones con letras tan tontas como ésta:

> *Almas Vivas, levantad la voz.*
> *El Iluminado provee, el Iluminado prevé.*
> *Se cumplirán todos nuestros deseos.*
> *Ahora que el Profeta tiene el poder.*

«Ni siquiera rima correctamente», pensó Valentine. Entonces se decidió a hacer un comentario sobre el particular, aunque ya sabía cómo le iban a responder.

—¿Por qué no riman los versos?

—¡Qué muerta está tu alma! Es obvio que no sabes apreciar la esperanza que conlleva la canción, ni comprender las riquezas sobre las que cantamos. Gozamos de estas riquezas en la persona del Iluminado, que es el vínculo entre nosotros y Dia. ¡Y tú te pones a organizar un alboroto por una simple rima!

—Es verdad. ¡Qué estúpido soy! —dijo Valentine con humildad.

Mientras tanto el grupo ya se encontraba en un estado psicológico de absoluta sumisión. Valentine escuchaba la forma en que los miembros del grupo calificaban continuamente a Govert como *consistente,* a Johan como *firme* y a Yolande como *un ángel.* Había oído que las víctimas de un secuestro a menudo llegan a simpatizar con sus raptores, incluso enamorándose de ellos. «De modo que así es como todo esto funciona —pensó Valentine—. Primero te arrojan a un pozo negro y luego te sientes profundamente agradecido cuando te medio sacan de él.» Llegó a la conclusión de que el «curso» se componía de las siguientes fases: primero, la desdicha colectiva consolidaba en un bloque homogéneo a todos los iniciados; a continuación los convencían de que pronto cambiarían, volviéndose mejores que la gente del mundo exterior, con lo que les infundían una especie de conciencia de clase; y finalmente, eran programados para aceptar todo aquello que les dijera Willem de Vries, su amado Profeta.

Aquella noche la sala se llenó de cientos de jóvenes. Los líderes del grupo que estaba siendo lavado espiritualmente ocuparon sus puestos delante, y los diez recién llegados fueron situados en la primera fila de asientos. Cinco candidatos habían abandonado, alegando que, en su conjunto, aquello les había parecido un montaje disparatado.

Cuando el Profeta hizo su aparición fue vitoreado ruidosamente por las almas vivas. Los tres infiltrados esperaban que, por lo menos, llevara una barba que le diera un aspecto venerable; pero su rostro estaba bien afeitado. No obstante, una vez que se dejó llevar por el entusiasmo que imprimía a sus palabras, su largo pelo grisáceo comenzó a caerle sobre la cara.

Se entonaron salmos en los que no participó el Profeta. Éste se limitó a permanecer sentado en el escenario flanqueado por tres mujeres y un hombre, mirando reflexivamente a sus seguidores. Una vez concluidos los cantos, las Eminencias abandonaron el escenario y fueron a sentarse junto a los demás. Entonces, Willem de Vries se levantó y pronunció un discurso, que se sabía de memoria. «Probablemente habrá repetido todo esto cien veces con anterioridad», pensó Valentine. Ninguna otra persona le hizo sombra.

—Al igual que un cristal recoge los ardientes rayos del sol y los concentra, así el Profeta recibe los rayos de Dia. Con ellos enciende una hoguera en las almas muertas —dijo Willem de Vries con solemnidad.

Valentine miró a Josie y a Paul con el rabillo del ojo. Parecían estar prestando a De Vries la máxima atención. Los suspiros de placer que oía tras él indicaban que los oyentes estaban experimentado algo que se asemejaba mucho a un orgasmo.

—Al igual que un río recoge el agua de lluvia y la encauza, así el Profeta recibe la lluvia de Dia y la transforma en corriente purificadora que limpia y refresca las almas muertas —prosiguió Willem de Vries.

El orador parecía dejarse llevar cada vez más por la emoción. Su pelo canoso se desmelenaba. Extendía los brazos como si pretendiera abrazar con ellos a todos los presentes. Valentine notó que él mismo se estaba quedando sin aliento. «Gracias a Dios que fui avisado concienzudamente de antemano —pensó el muchacho—. Un discurso como éste ha de causar algún efecto en quien lo escucha; uno no puede permanecer indiferente. Podrías sentirte molesto y marcharte, pero aun así te afectaría.»

—El Profeta puede enviar luz y agua a vuestra alma muerta, puede purificarla y encender la llama sagrada en su interior, en nombre de Dia —siguió diciendo Willem de Vries.

Menudos disparates, y sin embargo Valentine tuvo que admitir que resultaban impresionantes.

Al término de su discurso el Fundador dirigió su atención a los recién llegados:

—¡Sed bienvenidos a Almas Vivas! —exclamó—. Ya sois parte de nosotros. Una vez que hayáis sentido la mano del Profeta en vuestro corazón, vuestra alma muerta vivirá para siempre. Nunca volveréis a ser como los demás.

«Vaya —pensó Valentine—, ahí está el viejo truco.» Dile a un grupo que es diferente; en otras palabras, que es mejor que los demás, y se sentirá a gusto y podrá ser utilizado para promover cualquier tipo de actividad, por peligrosa que sea.

Willem de Vries abandonó el escenario y se puso a caminar ante la fila de recién llegados, colocándoles la mano en su corazón, uno a uno. Ese procedimiento entrañaba tocar el pecho izquierdo de las chicas; Valentine y Paul se preguntaron si le importaría a Josie.

—Fue repelente —dijo ella a la mañana siguiente—, pero una tiene que estar dispuesta a hacer algún sacrificio.

—Diabhraghair —decía el Profeta a los chicos.

—Deribhshiuru —a las chicas.

—Obair Biadh, el Profeta prevé —entonaba la audiencia a modo de respuesta.

La ceremonia se dio por concluida y el Profeta se retiró acompañado por sus cuatro Eminencias. Los miembros de la secta permanecieron en la sala charlando unos con otros.

—Formidable —decían—. Es maravilloso.

Algunos parecían estar en una ensoñación, aún bajo los efectos de aquella conmovedora experiencia. Otros miraban a los demás fijamente al rostro, como si quisieran transmitir sus emociones y su amor a todo el mundo a través de su mirada. Luego fueron servidos refrescos y cacahuetes. Los recién llegados recibieron docenas de abrazos y felicitaciones. Más tarde les preguntaron si les importaba regresar el lunes —después de todo se encontraban de vacaciones— con el fin de hacer algún trabajo para Almas Vivas. Al final los tres jóvenes se marcharon a sus casas, cansados y albergando sentimientos contrapuestos.

Aquella noche Willem de Vries estaba arrellanado en un gran sillón en sus aposentos privados, ubicados en el piso alto del edificio. Una de las Eminencias, a la que el Profeta llamaba Anna, estaba sentada en el brazo del sillón; De Vries no podía acordarse de su verdadero nombre. Ella le había desabrochado un par de botones de la camisa y le estaba acariciando el vello del pecho.

—Estuviste tan magnífico como siempre —dijo Anna.

—Hmmm —gruñó Willem de Vries.

—¿No te fijaste en una chica con trenzas, que estaba entre los recién llegados?

—Por supuesto que lo hice. Es una jovencita sumamente atractiva.

—¿Y te acuerdas del señor Keizer, el comisario de policía de Amsterdam?

—Pues claro. Es un hombre terrible.

—Esa chica es su nieta. Los vi juntos en una ocasión.

—¡Vaya! ¡Vaya! —dijo Willem de Vries.

—Podría encontrarse aquí por algún motivo —dijo Anna.

—Es posible, cariño, es posible.

—¿Quieres que la expulsemos?

De Vries se quedó pensativo:

—No —dijo finalmente—, conservémosla. Nos aseguraremos de que la nieta se convierta en un alma viva ejemplar. La mejor. Y que sea de por vida.

6

EL Gran Líder y sus cuatro Eminencias tenían sus aposentos privados en el ala sureste del piso alto de la sede de Almas Vivas. Josie arrastró un cubo de agua jabonosa al cuarto de la Eminencia Marta y se puso a limpiar el revestimiento de madera de las paredes. Estaba pálida, a pesar de que había brillado el sol toda la semana.

Se arrodilló con aire cansado y miró a su alrededor. La habitación estaba amueblada con esmero; había sillones estilo Biedermeier, una máquina de coser y alfombras y esterillas de buena calidad. Todo resultaba algo anticuado, pero acogedor. Josie decidió pasar por alto los tableros existentes bajo las ventanas. Nadie repararía en la suciedad bajo los largos cortinajes de pana. «¡Puf! —pensó Josie—. ¡Y que luego te digan que todo trabajo realizado al servicio de Dia y de su representante en la Tierra es una fuente de gozo! Debo de estar loca. Mis vacaciones se han ido al traste.» Almas Vivas la mantenía ocupada catorce horas diarias, y siempre bajo techo. Era como si hubieran decidido no concederle el menor respiro. Otros miembros eran enviados a vender revistas de la secta o helados con una de las tres camionetas de las que eran propietarios y que estaban adecuadamente registradas. Tenía que permanecer en el caserón dedicada a la limpieza, e incluso, lo que era aún peor, aprenderse de memoria un libro entero. Le hacían pasarse una hora de cada tres encerrada en un cuchitril, memorizando una página completa. Los demás miembros la ponían a prueba con regularidad. Cuando desfallecía, le decían que no poseía el auténtico fuego y que iba a decepcionar al Profeta.

Josie no se enteraba de nada de lo que ponía el libro, que había sido escrito por el Iluminado en persona. «La verdad oculta será revelada a aquel que en el fondo ya conozca la verdad y que se abra a los canales que le colmarán con la gracia de la visión.»

Había intentado comprender lo que podían significar frases como ésta, para memorizarlas con mayor facilidad, pero desistió enseguida. Para empezar, estaba demasiado cansada para intentarlo siquiera. En segundo lugar, había llegado a la conclusión de que todo era una basura.

Josie miró su reloj. Todavía faltaban seis horas y cuarto para las nueve. A esa hora solían permitirle descansar.

Aprovechaba ese descanso para reunirse con su abuelo y los otros dos infiltrados. Dormía en casa de unos amigos de sus padres mientras éstos disfrutaban de las vacaciones. Por fortuna para ella, ya que tenía que presentarse a las seis de la mañana en la sede de la secta y la casa estaba cerca. Curioseaba los papeles que encontraba en las habitaciones de las Eminencias siempre que tenía ocasión. Josie tenía que ser muy precavida, pues más de una vez aparecían de repente. Eran muy amistosas y la saludaban, pero si la hubieran cogido registrando el contenido de sus escritorios se habrían comportado de un modo muy distinto, pensó Josie. «Pero debo correr ciertos riesgos. No prestaré un gran servicio al abuelo ni a mí misma si me convierto en un miembro de la secta sin haber averiguado nada previamente.» Tenía la esperanza de que cualquier día le encargarían la limpieza del cuarto de Willem de Vries. Merecería la pena buscar allí señales de actividades ilegales.

Arrastrando los pies, entró en una de las dos pequeñas cocinas para recoger un cubo de agua limpia. Le martilleaba la cabeza. Era un misterio para ella cómo alguien podía disfrutar siendo miembro de Almas Vivas.

Para Valentine y Paul todo fue más fácil, ya que estaban sometidos a menos presión. Su misión era llamar a las puertas y vender folletos, y no les iba mal del todo, en parte debido a que la gente les daba a menudo algún dinero con el único propósito de librarse de ellos. Pensaban que valía la pena desprenderse de un florín; les ahorraba tener que escuchar piadosas perogrulladas durante un cuarto de hora. Ignoraban que Valentine y Paul apenas tenían piadosas perogrulladas que contar, y mucho menos creían en ellas.

Siempre que Valentine tenía ocasión, merodeaba discretamente por el edificio.

En la planta baja había un gran salón, con capacidad para más de quinientas personas. Se notaba enseguida que originariamente había sido proyectado como teatro. Se cerraba con un enorme escenario con el techo muy alto y grandes espacios laterales, que posibilitaban el cambio rápido de decorado. En el piso bajo había también una gran cocina. Parecía moderna, aunque realmente Valentine no entendía mucho de cocinas. En la primera planta había dos espaciosos comedores y otras salitas donde los miembros de la secta podían tomar café, ver la televisión y relajarse tranquilamente. Había incluso una sala de billar. En la segunda planta se ubicaban los dormitorios y los cuartos de baño. El piso alto, donde vivían el Profeta y sus cuatro Eminencias, era una zona de acceso restringido.

A Valentine tampoco le llevó mucho tiempo averiguar cómo funcionaba la organización de Almas Vivas. Pasaba toda la información a Keizer.

Willem de Vries utilizaba un organigrama de bloques. Él estaba en la cúpula del mismo. Allí ponía: El Iluminado. En el bloque siguiente estaban los nombres de los miembros del Consejo Supremo; es decir, las cuatro Eminencias. Una de éstas era un hombre, el primo segundo de Willem, Karel de Vries; las tres restantes eran Anna, Martha y María, sin duda las amantes que idolatraban incondicionalmente al Profeta. Cada una de las cuatro Eminencias controlaba a cuatro hombres y mujeres TES, o Almas Ejecutivas. Los bloques asociados a los TES eran grupos de trabajo integrados por dieciséis miembros corrientes de la secta. Cada grupo estaba dirigido por uno de estos TES. Como había dieciséis TES, cada uno de dieciséis miembros, resultaba que, teóricamente, el número máximo de almas vivas era de doscientos cincuenta y seis. Willem de Vries debía de haber ideado el sistema cuando sus expectativas eran aún modestas porque, de acuerdo con los cálculos de Valentine, el movimiento estaba ahora compuesto por casi cuatrocientos miembros. Así es que De Vries había creado grupos nuevos y ahora la mayoría de los TES tenían dos grupos bajo su mando.

Casi un centenar de almas vivas vivían en el edificio. Los demás seguían residiendo en sus casas, donde tenían que enfrentarse a menudo a la seria oposición de sus padres. A éstos les desagradaba la secta y trataban con machacona insistencia de persuadirlos de que la abandonaran. Aquél era un tópico constante de conversación. Henk tenía este problema.

—No caemos bien a mis padres —decía casi a diario—. No dejan de utilizar todo tipo de argumentos contra nosotros. Ayer llegaron incluso a llamar embaucador al Profeta.

—Es el demonio que los tienta —dijo Yolande, una TES fanatizada—. El demonio está utilizando a tus padres para tratar de apartarte del camino de la verdad.

—Pero es preocupante —dijo Henk—, porque sé que mis padres me han querido siempre.

—Aunque sea así, tú no debes escucharlos —le dijo Yolande—. Ahora es el Profeta el que te indica lo que tienes que hacer. Él dice que perteneces a nuestro grupo. ¿No te gusta ser uno de nosotros?

—¡Es maravilloso! —replicó Henk.

—Yo soy una nueva persona —intervino Céline—. Nunca veo a mis padres. Mi hogar está aquí.

Paul intentó hacer una estimación de cuánto dinero entraba mensualmente en la secta y cuáles eran los gastos de ésta. De los hechos que había logrado constatar sin despertar sospechas, dedujo que al menos ingresaba el doble de dinero que el que se gastaba.

—No es un mal balance —comentó Keizer.

—No he podido averiguar todavía si pagan sus impuestos como es debido —dijo Paul—. Tal vez podamos cogerlos por ese lado.

Los tres estaban aguardando a Josie. Siempre llegaba tarde. Keizer no dejaba de mirar su reloj. Estaba medio arrepentido de haber iniciado la operación. Conociendo a su nieta, sabía que no abandonaría la empresa, aunque le hicieran consumirse a fuerza de trabajos. En cuanto a los chicos, no daban muestras de suficiente hostilidad hacia Almas Vivas. Decían que la gente allí era amistosa con ellos. Parecían albergar una cierta simpatía solapada, no por el Profeta —Keizer creía que ambos lo consideraban un ser ridículo—, sino por los miembros de la secta. «Ahí está el quid de la cuestión», pensó. Un líder como ése abusa del hecho de que sus jóvenes seguidores sean bondadosos y cariñosos. Los atiborraba de medias verdades, les exige una obediencia ciega y luego los pone a trabajar para conseguir fondos y nuevas almas. «Se trata de una tiranía espiritual», pensó Keizer. Algo difícil de combatir.

—Con todos los datos que tenéis —Keizer se aventuró cautelosamente a preguntar—, ¿qué pensáis ahora de la secta?

—Que no es buena —respondió Valentine con firmeza—. La única razón por la que son amables y afectuosos es porque les han lavado el cerebro. Los miembros que he llegado a conocer han dejado de pensar por sí mismos. Se comportan como loros parlantes.

—Los loros no son personas —comentó Keizer—; por tanto, consideras que la secta es inhumana.

—Resulta duro decirlo; pero sí, eso me parece a mí —dijo Valentine.

—Yo no estoy tan seguro —comentó Paul—. He conocido a demasiada gente humana allí; creo que entendéis lo que quiero decir.

—Las malas personas son sus líderes —dijo Keizer—, y no los seres inocentes sometidos a su influencia.

—Esa influencia parece hacerles algún bien —dijo Paul reflexivamente.

—Que llegue pronto Josie —dijo Valentine. Keizer apenas podía pensar en otra cosa.

—Me pregunto por qué serán tan exigentes con ella —dijo Paul.

—¿Me permitís que entre tanto os invite a una cerveza? —sugirió Keizer.

—Sí, por favor —respondieron Paul y Valentine.

Para cuando llegó Josie, los demás casi la habían dado por perdida. Se dejó caer en una silla. Todos estaban alarmados viendo su palidez. Keizer le cogió con ternura una mano.

—¿Estás agotada?

—Estoy bien —respondió Josie.

—¿Qué has estado haciendo?

—«La verdad está en Dia y es revelada a través de su Profeta» —citó Josie—. «Las almas muertas rechazan a Dia y a su Profeta. La hostilidad hacia el Iluminado equivale a la hostilidad hacia Dia.» Ése es el tipo de cosas que he estado aprendiendo.

—Por el amor de Dios, ¿por qué? —exclamó Valentine.

—Dicen que eso me proporcionará un alma hermosa. No simplemente un alma viva, sino, además, un alma hermosa.

—¿Y por qué no tenemos nosotros que hacer lo mismo? —se preguntó Paul en voz alta.

—Sólo Willem de Vries puede responder a esa pregunta.

—Josie, criatura, considero que debes dejar este asunto —dijo Keizer.

—¡Oh, no! —replicó Josie—. Me voy a vivir con ellos.

—¿Que vas a hacer qué?

—Irme a vivir allí. Me han invitado a vivir en el Prinsengracht, como un favor especial. Incluso me han dado a entender que podría convertirme en una TES. Piensan que doy señales muy prometedoras —dijo Josie con una sonrisa.

—No voy a permitirlo —dijo su abuelo.

—Voy a hacerlo de todos modos. Fíjate en las oportunidades que tendré de averiguar a qué se dedica el Consejo Supremo por las noches.

—¿Les has dicho ya que vas a ir? —preguntó Keizer con gesto contrariado.

—No. Les dije que primero tendría que consultarlo con mis padres. Por supuesto que sospechan que a mis padres no les va a gustar la idea, pues siempre se han opuesto a ello. Pero también les he dicho que probablemente lo haré, incluso sin su consentimiento.

—Tú no vas a ir —dijo Keizer.

—¿Cómo me lo vas a impedir? Los padres casi nunca logran detener a sus hijos. Lo sabes, ¿no es cierto, abuelo? Debo ir, ¡el movimiento me reclama! —exclamó Josie con dramatismo.

—Estoy preocupado —dijo su abuelo.

—¿Por qué?

—Porque pueden llegar a destrozarte mental y espiritualmente.

—No creo.

—¿Y si fuera yo también? —sugirió Paul.

—¿Para qué?

—En primer lugar, para que no estés sola. Y en segundo lugar, para...

—Estuviste a punto de decir para protegerme, ¿no es cierto? —le acusó Josie.

—Me tragué mis palabras justo a tiempo.

—Las chicas ya no somos seres a los que hay que proteger, lo sabes muy bien.

—Lo sé —dijo Paul disculpándose—. Sé que no puedo protegerte mentalmente. Pero físicamente, sí; quiero decir en el caso de que te encierren o algo así.

—¿Te refieres a una protección real? —dijo Josie molesta.

—Bueno, no dejan de llamarme oso fuerte, y lo soy —dijo Paul, armándose de audacia—. Podría arrojar a todo el Consejo Supremo por la ventana con una mano atada a la espalda.

Todos se echaron a reír. Paul no era dado a fanfarronear. Seguramente pensó que nadie le creería.

—Si Josie está resuelta a ir, me sentiría mucho más tranquilo si tú fueses también —dijo Keizer.

—¡Y yo también! —dijo Josie riéndose—. Les diré que mis padres se oponen radicalmente y que la única forma en que me permitirán ir es si tú vienes también. Diré que hice amistad contigo recientemente al enterarme de que nuestros padres se conocen.

—Estoy de acuerdo con el plan sólo con una condición —dijo Keizer—, que no os quedéis más de una semana. Si no habéis conseguido nada para entonces, tendremos que tirar la toalla. ¿Me lo prometéis?

—Prometido —dijo Josie, restando importancia al asunto.

Los chicos asintieron con la cabeza.

—Me parece bastante justo —dijo Valentine—, aunque no

creo que debiéramos tomar una decisión definitiva hasta la próxima semana.

De este modo Josie y Paul se fueron a vivir a la sede de Almas Vivas. Josie recogió algunos bártulos de su casa y Paul hizo lo mismo en la «Cámara de Tortura». La Eminencia Anna le aceptó muy fácilmente. Si eso era lo que querían los padres de Josie, de acuerdo; Almas Vivas eran la razón personificada, y no indisponían a los hijos contra sus padres, aunque sus enemigos afirmaran lo contrario. Ellos no eran hostiles; la hostilidad procedía del mundo exterior. Si ellos no se metían con el mundo exterior, ¿por qué no podía el mundo exterior dejarlos en paz?

DOS DÍAS DESPUÉS, VALENTINE había prometido acudir al edificio de Almas Vivas a las nueve de la mañana para ayudar a recaudar dinero. Cuando abrió los ojos y vio una ancha franja de luz solar a través de la cama supo, por experiencia, que eso significaba que ya eran las diez. Bueno, pensó, ya estaba bien de secta. Iría más tarde. Permaneció echado, recorriendo con la vista la habitación. Era fenomenal estar rodeado de cosas que él había elegido, todas de su propiedad. Las almas vivas no te dejaban en paz ni un momento. Nunca tenías tiempo para albergar dudas, y no te invitaban a hacer preguntas. Decían que las preguntas no llevan a ninguna parte. El Iluminado había encontrado respuesta a todas las preguntas posibles. Hay que avanzar subidos al carro de la certeza.

Su escritorio estaba en un tremendo desorden, como siempre. Su silla de trabajo era de madera dura y respaldo vertical, pero también tenía dos sillones. El año anterior Valentine se había sentado en uno de aquellos sillones, rodeado de papeles, estudiando matemáticas. «Fue divertido», pensó, recreándose en sus recuerdos.

Una tablilla de madera primorosamente enmarcada colgaba de la pared frente a su cama. En ella podían leerse las palabras «Conócete a ti mismo», grabadas a fuego con muchos adornos. Era feísima, pero la guardaba porque era un regalo de su tía Diane, y ella era algo único para él. Cerca de la cama había un radiocasete con un estuche de cintas debajo del aparato. Alargó el brazo para coger una al azar y resultó ser de la secta. «Algún día no quedarán almas vivas», pensó Valentine con una sonrisa. Puso la casete. Su sangre empezó a rebullir, sin duda gracias a la música, y se levantó de la cama. Se duchó durante un buen rato. La habitación que había tenido inmediatamente después de apartarse de las drogas no había sido tan lujosa como ésta. Por aquel entonces no le había gustado, pero ahora, mirando hacia atrás, se alegraba de haber vivido en ella, pues le hacía apreciar más las comodidades de la actual.

El desayuno, el periódico, otra cinta, ¡qué mañana tan deliciosa había pasado! Ya eran las dos de la tarde cuando llegó al Prinsengracht. La puerta del edificio estaba cerrada. Valentine tocó el timbre, y el TES Govert le abrió.

—Hola, Govert —dijo Valentine, haciendo el gesto de entrar. Govert se lo impidió.

—No puedes entrar. Has dejado de ser un miembro —dijo escuetamente.

—No seas tonto, hombre —dijo Valentine, pero una sensación peculiar en el estómago le indicó que Govert hablaba en serio. Algo había salido mal.

—Ya no eres miembro de Almas Vivas —repitió el TES.

—¿Y eso quién lo ha dicho?

—Son órdenes de arriba —dijo Govert, señalando con la cabeza en dirección al piso alto.

—Por un momento pensé que te referías a Dia —dijo Valentine, intentando bromear.

—Buenos días —dijo Govert, cerrando sin responder.

—¡Eh, espera un momento! —gritó Valentine, empujando contra la puerta—. No podéis echarme de este modo. Os he dedicado mucho tiempo estas últimas semanas. También os he entregado dinero. Tengo derecho a pertenecer a la organización. No podéis deshaceros de mí de repente.

—No puedo hacer nada —dijo Govert—. Márchate. Tengo que hacer.

—Debe tratarse de un error.

—Tú eres Valentine de Boer, ¿no es cierto?

—Así es. Siempre lo he sido.

—Entonces, no se trata de un error.

—Debe de haber un malentendido. Esto no puede ser, no tenéis motivo para expulsarme. De acuerdo, he llegado con unas horas de retraso, pero ésa no puede ser la razón.

—Iré a cerciorarme —dijo Govert.

Cerró la puerta en las narices de Valentine y desapareció. «Dios mío —pensó Valentine—. Todo ha salido mal. Han averiguado algo. ¿Debería preguntar por Josie y Paul? No. Será mejor esperar hasta que los expulsen a ellos también.» Govert regresó y entreabrió la puerta unos centímetros.

—Aquí tienes —dijo, entregando a Valentine ocho florines en billetes, la cantidad que había pagado por el «curso».

—¿De modo que eso es todo?

—Así es. Has dejado de ser un miembro. Adiós.

La puerta volvió a cerrarse. Valentine caminó en actitud reflexiva hasta el parque Vondel y se sentó en un banco. Era evidente que habían descubierto que era un infiltrado, pero ¿cómo? En el preciso momento en que Govert le dijo «Has dejado de ser un miembro», una voz demoniaca le había susurrado: «Paul y Josie te han traicionado. Les han lavado el cerebro. Se han convertido en auténticas almas vivas y asumido los puntos de vista de la secta».

Aquello era imposible. No podía haber sucedido tan rápidamente. Tal vez después de un año de continuo adoctrinamiento o de semanas de tratamiento forzoso a base de fármacos. No; debían de haber sido expulsados también sin que él lo supiera.

Valentine decidió ir a ver a Keizer. Cuando abandonaba el parque, vio a una chica de la secta; creía que se llamaba Céline. Siempre se había portado amigablemente con él. Se acercó a ella y le preguntó si podía acompañarla parte del camino.

—Por supuesto —dijo Céline—, aunque sólo un rato. Tengo que ir a la zona sur para vender folletos.

Valentine habló con ella acerca de la secta, aunque no llegó a utilizar la palabra pues a los miembros no les gustaba. Le preguntó qué la había impulsado a integrarse en ella y qué opinión le merecía. Céline dijo que Almas Vivas lo era todo para ella, y que había empezado a vivir en el preciso momento en que vio al Iluminado por vez primera.

—¿No has llegado a sospechar que el Profeta puede equivocarse en ocasiones? —preguntó Valentine.

—No, nunca —respondió Céline con gesto asombrado—. ¿Y tú?

—Yo he dejado de ser miembro —respondió Valentine.

—¿Qué? Valentine, qué tonto has sido. Unirte a nosotros fue lo mejor que hiciste en tu vida.

—No ha sido por decisión propia. Me han echado.

—¿Que te han echado? Eso no puede ser. ¿Por qué? —dijo Céline sorprendida.

—No lo sé. ¿No se te ocurre ninguna razón?

—No. ¿Quién lo decidió?

—Aparentemente, el propio Profeta.

—¡Oh!

Céline dio un pequeño paso atrás casi imperceptible, pero Valentine lo advirtió de todos modos. «Tengo un mal infeccioso —pensó—. He sido excomulgado. Es como si estuviéramos viviendo en la Edad Media.»

Valentine le puso la mano en el hombro para comprobar si también retrocedía ante ese gesto, pero no lo hizo.

—Céline, ¿quieres tratar de averiguar por qué he dejado de ser persona grata entre vosotros?

—No puedo hacer eso.

—¿Por qué no?

—Tendría que hacer preguntas, y tú sabes que en Almas Vivas no hacemos preguntas, y mucho menos acerca de lo que hace o dice el Profeta.

—¿Y si se tratara de una equivocación?

—Eso es imposible. El Profeta no comete equivocaciones.

—Entonces, das por sentado que he hecho algo malo y que estoy sucio —dijo Valentine.

—Bueno, no exactamente. Quiero decir que ¿cómo podría saberlo?

«Está claro —pensó Valentine—, Céline no quiere saber nada. Sólo quiere obedecer y que otros piensen por ella. No quiere formular preguntas comprometidas. Se ha convertido en un robot, en un bonito robot.»

—Será mejor que vayas a tu trabajo —dijo Valentine amablemente—. Tal vez te vea de nuevo en el parque. Iré allí a buscarte.

—Adiós —se despidió Céline, desconcertada.

«La secta está podrida —pensó Valentine—. Recogen a una chica en una calle impersonal y fría y le hacen creer que es acogida en un hogar tibio y confortable.» Valentine tomó un autobús en dirección al pueblo de Keizer y media hora más tarde se encontraba sentado en su despacho. Allí conoció al alto y desgarbado Leo, con el que simpatizó inmediatamente.

—No tengas reparo en hablar delante de Leo. De cualquier forma, acabará averiguándolo todo; confío en él plenamente —dijo Keizer—. Bueno, en casi todo —añadió.

Valentine le contó lo que le había sucedido y preguntó a Keizer si había tenido noticias de Josie o Paul.

—No —respondió Keizer—; no sé nada de ellos desde hace un par de días.

—Mi impresión es que también ellos serán expulsados hoy —dijo Valentine—. Probablemente se han enterado de quiénes somos.

—Puede que tengas razón —dijo Keizer—; a menos que...

—También se me ha ocurrido a mí —balbuceó Valentine.

—Iré a husmear por ahí un rato —dijo Leo estirando las piernas.

—No cometas ninguna estupidez —le advirtió Keizer.

—Nunca lo hago —replicó Leo al mismo tiempo que abandonaba el despacho.

—Me parece que no podemos hacer nada de momento —suspiró Keizer—. He estado descifrando el significado de las extrañas palabras que utiliza la secta. Es menos complicado de lo que parece. Son irlandesas. Recordé que Villem de Vries había residido algún tiempo en Irlanda, por lo que decidí consultar un diccionario irlandés y allí estaban. *Obair* significa trabajo, *biadh* comida, y *athair* y *máthair* quieren decir padre y madre.

—Entonces puedo adivinar lo que significan *diarbhagair* y *deirbhshiuru* —dijo Valentine—. Hermano y hermana.

—Exactamente.

—Es fácil ser misterioso, ¿no es cierto?

—¿Puedes repetir lo que has dicho?

—¿Acaso pretende...? —Valentine fue interrumpido por el timbre del teléfono. Keizer descolgó el auricular. Quienquiera que se encontrara al otro extremo de la línea era clarísimo que estaba hablando rápidamente y sin la menor pausa, porque Keizer no pudo intervenir.

—Pero... ¿Estás...? Aguarda un momento... —un minuto después Valentine oyó la señal y supo que el interlocutor había colgado.

Keizer se hundió en su sillón y fijó la vista en el techo como si estuviera ausente. Se aflojó la corbata y se desabrochó el botón del cuello de la camisa.

—¿Era Josie? —preguntó Valentine.

Keizer asintió con gesto desasosegado.

—¿Y qué le dijo?

—Dijo que... —Keizer parecía estar demasiado lejos para contestar y no dejaba de manosear la corbata.

—¿Qué le dijo? —insistió Valentine, con cierta impaciencia.

—Dijo que no tenía tiempo para venir, que no disponía ni de un momento libre y que llamaría de nuevo. Su voz sonaba sin viveza y parecía asustada, como si tuviera miedo de lo que yo pudiera decirle. Me dio la impresión de que ella... —la voz de Keizer se apagó.

—De que ella, ¿qué?

—No sabría cómo expresarlo con palabras —dijo Keizer—. No tenía la vivacidad y el espíritu crítico de siempre. Eso no significa necesariamente que haya pasado algo grave. Podría ser que alguien estuviera escuchando. Sí, sospecho que eso fue lo que pasó. Probablemente no estaba sola.

—¿Dijo algo de Paul?

—No, ni una sola palabra.

—¿Y qué hacemos ahora? —preguntó Valentine.

—Esperar hasta mañana. Acordamos que podríamos estar sin reunirnos hasta tres días. Supongo que al menos Paul dará señales de vida mañana.

—No puedo creer que Josie me haya delatado —dijo Valentine.

—Ni yo tampoco. Pero nunca se sabe.

—Hasta mañana, comisario.

—Adiós, Valentine.

HACIA LAS DIEZ DE LA NOCHE Valentine salió de su habitación para dar un paseo alrededor de la manzana antes de acostarse. Había planeado ir al cine, pero al final decidió no hacerlo. En lugar de eso se quedó echado en la cama pensando qué podía hacer, pero no se le había ocurrido nada. La noche era apacible. Sus pasos le condujeron, casi sin el menor titubeo, hacia el Prinsengracht, como si el edificio de Almas Vivas fuera un imán que le atrajera con su influjo magnético. Se detuvo a treinta metros de distancia de la sede de la secta, se recostó contra la pared y se puso a vigilar el caserón. De vez en cuando salía gente, pero era mayor el número de los que entraban. Reconoció a la mayoría de ellos. ¿Debería tratar de entrar? Estuvo sopesando los pros y los contras. Probablemente alguien se le acercaría inmediatamente y cortés, pero firmemente le pediría que se marchara. ¿Y si se negaba? ¿Emplearían métodos violentos? Pensó que no. Actuarían con corrección y llamarían a la policía. Acudirían dos agentes, y los miembros de la secta le entregarían como si se tratara de un intruso. Los policías le llevarían a comisaría y tendría que hacer una declaración. «Será mejor que no haga nada», pensó Valentine.

Un hombre de veintitantos años estaba en la calle delante del edificio. Llevaba allí un rato y, de pronto, se puso a gritar:

—¡Bastardos, malditos bastardos!

Sacó del bolsillo una piedra que, evidentemente, llevaba preparada, y la arrojó contra la ventana del segundo piso. «Es uno de los dormitorios», pensó Valentine. El hombre tenía buena puntería. Se abrieron las ventanas y se asomaron hileras de almas vivas. El agresor aprovechó plenamente la audiencia para expresar en términos gruesos lo que pensaba de todos ellos y de su secta. Aparentemente satisfecho, se marchó.

Valentine miró detenidamente a los que se asomaban a las ventanas. Josie y Paul no se encontraban entre ellos, estaba seguro de eso. Entonces, ¿dónde demonios estaban?

Decidió seguir al hombre que había lanzado la piedra, y una vez que estuvieron fuera del alcance de la vista de cualquier observador que estuviera apostado en el edificio, se acercó a él. Tenía un rostro amigable, pelo rubio y ojos azul claro, al menos eso le pareció a Valentine, alumbrados como estaban por las luces de la calle.

—¿Por qué hiciste eso? —preguntó Valentine.

—Hice ¿el qué?

—Arrojar la piedra.

—¿Eres un poli?

—No, hombre. Te vi hacerlo, eso es todo.

—¿Entonces es que eres uno de ellos?

—No, no lo soy, pero me interesan.

—Tienen a mi hermana.

—¿Cómo se llama? —preguntó Valentine.

—Céline. Tiene diecisiete años. Esos canallas la han convertido en un robot. Robó cuatrocientos florines a mi abuela para entregárselos a ellos. No deja de decir las mayores majaderías, que ella califica como suprema sabiduría.

—¿Han recurrido tus padres a la policía?

—Sí. Dicen que no pueden hacer nada, que Céline está allí por su propia voluntad. La secta no la está reteniendo. Bueno, a mí me parece que si primero atontan a alguien de tal manera que llega a perder la capacidad de pensar por sí mismo, para luego afirmar que dicha persona está allí libre y voluntariamente, es porque son unos... unos...

—Ya te oí lo que les llamaste —dijo Valentine.

—Bueno, entonces, adiós.

—Adiós, y no te rindas —le despidió Valentine.

Se fue caminando lentamente hasta su casa, inmerso en los sonidos característicos de una ciudad en una noche de verano. Se sentía abatido. Habían empleado mucho tiempo y esfuerzos en Almas Vivas y hasta ahora no habían logrado nada. Y lo que era peor, estaban perdiendo el control de la situación.

—Todo saldrá bien —oyó decir a una voz detrás de él. Se trataba de Leo.

—¿Qué estás haciendo aquí?

—Rondando. He visto cómo acechabas la sede de Almas Vivas. ¿Has hablado con el tipo que tiró la piedra?

—Sí. El hombre está trastornado porque su hermana pertenece a la secta.

—Los desenmascararemos —dijo Leo con optimismo.

—Esperemos que sí.

—Hasta la vista.

—Buenas noches, Leo.

Lentamente Amsterdam fue enmudeciendo, tranquilizándose. Los ruidos del tráfico se fueron apagando, y las terrazas de los cafés vaciándose. Los camareros cerraron los locales.

La ciudad se estiró con un gran bostezo y se quedó dormida.

7

JOSIE y Paul no se pusieron en contacto con el comisario como estaba planeado. Keizer y Valentine estuvieron esperándolos en el café donde solían reunirse desde el mediodía. Leo Wagenaar se dejó caer por allí dos veces, más bien para sacarle una cerveza a Keizer que para facilitarle información. No tenía nada nuevo que contar, excepto que todo estaba normal en el edificio de Almas Vivas; no dejaban de entrar y salir jóvenes, a veces empujando a un pequeñín en su cochecito. No había señales de Josie ni de Paul.

Algo después de la medianoche, Keizer telefoneó a Almas Vivas. Contestó alguien con una voz que denotaba un cierto estado de excitación, y Keizer solicitó hablar con Josie.

—Aguarde un momentito.

Momentos después se oyó de nuevo la misma voz y dijo que no era posible.

—¿Por qué no?

—Pues porque está durmiendo. Lo siento, señor, pero ¿no le parece que sacar a alguien de la cama para contestar el teléfono a las doce y media de la noche es ir demasiado lejos? A menos que se trate de algo urgente, por supuesto.

—Entonces póngame al habla con Paul van Ravenswaai.

—Espere un momento, por favor —el interlocutor se ausentó brevemente y al volver dijo en el mismo tono de voz—: Me temo que tampoco va a ser posible.

—¿Por qué no?

—Es que no se encuentra aquí.

—Entonces, ¿dónde está?

—Estoy seguro de que usted comprenderá que no pueda darle ese tipo de información a un extraño, y mucho menos por teléfono.

117

—Muy bien. Gracias —dijo Keizer.

El antiguo comisario y Valentine decidieron acostarse. Les parecía que ya habían agotado todos los recursos. Nada podían hacer ya aquella noche.

—Voy a ir allí mañana por la mañana —comentó Keizer—. Esto cada vez me gusta menos. Tenemos que detener la operación. Willem de Vries es más listo de lo que había pensado. Parece como si tuviera en su mano todos los ases de la baraja. Siento haberte metido en esto, Valentine. Has perdido un par de semanas de vacaciones por mi culpa.

—Eso lo discutiremos cuando aparezcan Josie y Paul —dijo Valentine.

A las nueve de la mañana siguiente Keizer hizo sonar el timbre de la puerta de la sede de Almas Vivas. Cuando Govert le abrió, Keizer se presentó como el antiguo comisario de policía de Amsterdam y solicitó hablar con Josie van Duivenbode.

—Entre —dijo Govert. Invitó a Keizer a sentarse en una silla del pasillo y subió las escaleras. Al poco rato bajó una mujer que se presentó con el nombre de Anna.

—Anna ¿qué? —preguntó Keizer.

—Anna José Verwijsdonk.

—Me gustaría hablar con Josie van Duivenbode.

—¿Ha venido en misión oficial?

—No, ya estoy jubilado. De cualquier forma, ¿qué tiene eso que ver? ¿Resulta tan inhabitual querer hablar con alguien que viva aquí?

—Usted debe comprender —dijo Anna— que no dejan de venir padres y madres con la intención de llevarse a su hijo o a su hija. Los chicos no quieren marcharse y nos piden que digamos a sus familiares que no se encuentran aquí. Nosotros no retenemos a nadie contra su voluntad, por supuesto. No somos secuestradores.

—Eso está aún por ver —replicó Keizer.

—Usted perdone. ¿Cómo ha dicho?

—Que no estoy completamente convencido de eso.

—Si desea acusarnos de secuestro, adelante. Luego, nosotros podremos demandarle por difamación. Ya lo hemos hecho con anterioridad.

—Y probablemente han perdido el caso —comentó Keizer.

Anna se abstuvo de replicar a esa afirmación.

—Vaya en busca de Josie van Duivenbode —dijo Keizer escuetamente.

Transcurrió un buen rato antes de que Anna regresara. Cuando finalmente lo hizo, esbozó una tensa sonrisa y dijo:

—Se niega a verle.

—No puedo creerlo —dijo Keizer encolerizado.

—Le aseguro que es cierto.

«Contrólate», pensó el antiguo policía. Solía lograrlo cuando se lo proponía; pero ahora que su querida nieta estaba implicada, le resultaba mucho más difícil. Estaba claro que no tenía el menor derecho a registrar el inmueble. Preguntó si podía hablar con Paul van Ravenswaai, pero Anna le dijo que no estaba allí. Cuando Keizer preguntó tan educadamente como pudo dónde estaba Paul, Anna respondió que no era su secretaria.

Keizer se despidió con brusquedad y se marchó. Se dirigió directamente a su antigua oficina y preguntó a su sucesor en el cargo, el comisario Van Wissen, si se había averiguado algo recientemente de lo que pudiera inculparse a Almas Vivas.

—Nada —fue la respuesta.

—¿De modo que no existe el menor pretexto para efectuar un registro domiciliario?

—Absolutamente ninguno.

—Gracias —dijo Keizer, y se marchó rápidamente sin darle tiempo a su sucesor a preguntarle a qué se debía su repentino interés por la secta. Estaba furioso y, lo que era peor, preocupado. ¿Qué le pasaba a Josie? ¿Qué le estarían haciendo?

VALENTINE HABÍA REDACTADO varias versiones distintas de una carta y al fin se había decidido por una de ellas. Sacó su vieja maquina de escribir y un papel del cajón y se puso a teclear con dos dedos:

«Querido Diarbhragair Valentine. Debe de haberte producido una conmoción tu expulsión tan repentina de Almas Vivas, y estarás buscándole una explicación. Esta carta te aclarará las cosas. Sin darte cuenta de ello, has prestado un gran servicio a Almas Vivas. Hemos averiguado que hay un infiltrado entre nosotros que está tratando de conseguir información, con el fin de utilizarla luego contra nuestro movimiento. No hemos identificado todavía al culpable y me gustaría inducir a nuestros enemigos a volverse más audaces. Decidí expulsar a uno de nuestros miembros con la esperanza de incitar al intruso a que piense que estamos relajando nuestra vigilancia. Así, tal vez, cometa alguna imprudencia que le delate. Te he elegido a ti porque no llevas mucho tiempo con nosotros y, por tanto, podrías ser el infiltrado, y porque eres un muchacho sensato. De modo que, sin tú saberlo, estás siendo de gran ayuda. Naturalmente, serás bien recibido de nuevo entre nosotros tan pronto como se resuelva este desagradable asunto. Con el fin de permanecer en contacto con lo que pasa aquí, puedes confiar en uno de nuestros miembros. Hazme saber por escrito a quién has elegido. Que la omnipresencia de Dia y la luz de su Profeta estén contigo.»

Cuando acabó de mecanografiar esta nota, Valentine sacó del cajón el pedazo de papel transparente en el que calcó la firma de Willem de Vries un día que la había visto en el tablero de anuncios y no había nadie observándole. El muchacho la estuvo copiando una y otra vez. No había forma de distinguir si los peculiares garabatos decían Willem de Vries, el Profeta o el Iluminado.

Cuando consideró que había logrado una reproducción bastante aproximada de los jeroglíficos, los escribió al pie de la carta. Fue un desastre; la firma falsificada estaba torcida y distorsionada. «Debería haberlo hecho al revés», pensó. Se puso a escribir la firma en hojas de papel limpio hasta quedar satisfecho con el resultado. Luego mecanografió la carta en la parte superior del papel. Había tardado horas en conseguirlo, pero, finalmente, se sintió orgulloso de su obra.

Valentine se puso la chaqueta —el tiempo había refrescado— y se dirigió al parque Vondel con un libro bajo el brazo y la carta guardada en el bolsillo. Permaneció leyendo sentado en un banco durante tres horas, sin concentrarse muy bien en la lectura; levantaba la vista del libro continuamente. Por fin su paciencia fue recompensada. Céline se aproximaba con un montón de carpetas bajo el brazo. Valentine se acercó a ella y le pidió que charlara un rato con él, sentados tranquilamente. La chica accedió de mala gana. «Por supuesto —se acordó Valentine—, estoy sucio.» Pero Céline pronto cambiará de parecer.

—He recibido una carta del Profeta —dijo.

—¿Del propio Profeta?

—Sí. ¿Te gustaría leerla?

Por supuesto, Céline la leyó, devoró su contenido, acariciando el papel reverencialmente como si con su contacto pudiera absorber la energía de su ídolo.

—Caramba —dijo—. Menudo privilegio que el Iluminado te pida hacer tal cosa. Y qué terrible es que haya un infiltrado. ¿Quién lo habría pensado? ¿Por qué nos odian de este modo?

—No lo sé. Céline, ¿te gustaría ser mi confidente?

—¿Lo dices en serio? ¿Escribirás al Profeta y le hablarás de mí?

—Naturalmente que sí. Sé que eres alguien en quien puedo confiar. Mantén los ojos bien abiertos y dime si adviertes señales de la existencia de un infiltrado en el movimiento. No debes contar ni una sola palabra de todo esto a nadie, excepto, por supuesto, al Profeta; aunque eso tampoco es necesario, pues ya está informado de todo. A nadie. No sabemos quién puede ser el traidor; podría ser incluso una de las Eminencias.

—¡Oh! Creo que no —dijo Céline, consternada.

—Ni yo tampoco. De todas formas, ¿quieres colaborar conmigo?

—Me sentiré feliz haciéndolo —Céline le puso una mano en el brazo. Valentine estaba limpio de nuevo—. Ahora debo marcharme.

—Sólo una cosa más —dijo Valentine—. Hay alguien de quien sospecho: Josie van Duivenbode. Averigua dónde está, y qué es lo que hace. Y si no fuera ella, podría ser el tipo que fue a vivir allí al mismo tiempo que la chica, un tal Paul van Ravenswaai. ¿Le conoces?

—¿Se trata del alto?

—Sí. Cuéntame todo lo que oigas o veas acerca de esos dos. ¿Podrías venir aquí mañana a las diez de la mañana?

—Aquí estaré —dijo Céline radiante—. Hasta mañana entonces.

«La muchacha no tiene ni idea de que la estoy utilizando», pensó Valentine viéndola alejarse. Era exactamente como había sospechado.

Para Céline los únicos valores existentes eran la fe y la obediencia. Se trataba de una chica dulce y amable que estaba siendo engañada por todos. Sin embargo, Valentine no sentía lástima de ella. Tenía que emplear métodos sucios, ya que el juego limpio no habría servido para nada en aquella situación.

LEO WAGENAAR TOCÓ EL TIMBRE de la puerta de la casa contigua a la sede de Almas Vivas. Una mujer de unos treinta y cinco años le abrió la puerta. Aunque ya era media tarde, llevaba una bata y tenía puestos rulos en la cabeza.

—¿Sí? —preguntó la mujer con suspicacia.

—Me llamo Leo Wagenaar y trabajo para la policía. Me gustaría hacerle unas cuantas preguntas acerca de sus vecinos.

—¿Se refiere a la secta?

—Así es. A Almas Vivas.

—Pase. La verdad es que no dispongo de mucho tiempo.

«Ni siquiera ha tenido tiempo para vestirse», pensó Leo; pero se limitó a decir:

—Gracias. Le estaré muy agradecido.

La mujer le condujo al cuarto de estar, con muebles de madera, cuatro sillones de felpa roja y un gigantesco aparato de televisión. Leo se hundió en uno de los sillones y se puso a hacer preguntas. ¿Qué sabía sobre la secta? ¿Eran ruidosos? ¿Había alguna vez oído gritos o advertido señales de jaleo? ¿Ponían música hasta altas horas de la madrugada?

Resultó que la mujer de los rulos nunca había sido importunada por los miembros de Almas Vivas. Eran personas de conducta intachable. Si todos los jóvenes fueran como ellos, el mundo sería mucho más habitable. Eran educados y serviciales, nunca alborotaban, ni tenían líos con la policía, ni parecía que se emborracharan nunca. En realidad, la mujer no tenía la menor queja contra ellos. Sabía que otras personas sí las tenían, pero ella no coincidía con sus puntos de vista.

«Dios mío —pensó Leo—. Así va a ser más difícil conseguir mis propósitos.»

Había albergado la esperanza de poder utilizar la casa de aquella mujer como medio para acceder al edificio de Almas Vivas. Ya había discutido el tema con Keizer. Podría llegar el día en que tendrían que ponerse en contacto con Josie o Paul, incluso mediante métodos ilegales, si fuera necesario. Si Leo llegaba a entrar en el edificio por la ventana, se trataría de un allanamiento de morada, un delito punible aunque no se robara nada. En el caso de que la mujer hubiera censurado a la secta, Leo podría haberse aventurado a abordar el tema; pero así apenas se atrevía a preguntar si podía echar un vistazo desde el último piso. De todos modos, decidió intentarlo.

—Sólo para cerciorarme de que no están maquinando nada —dijo Leo.

—Me habría dado cuenta si estuvieran haciéndolo —replicó la mujer, indignada—. Vamos a ver, si es usted realmente de la policía, muéstreme sus credenciales.

—Resulta que no las llevo encima —dijo Leo.

—Entonces regrese más tarde, cuando las lleve.

—Venga, señora mía —rogó Leo.

—Yo no soy su señora y, además, no me agrada su tono de voz —replicó la mujer—. Y antes de que me lo pregunte, le diré que estoy segura de que usted no se dedica a nada bueno.

—Usted tendría suerte si así fuera —replicó Leo—. En fin, qué se le va a hacer, me marcho. Gracias, de todos modos.

El joven miró bien a su alrededor al marcharse. Notó que

había un inquilino en el último piso porque había un panel en el portal con una tablilla que se deslizaba hacia ambos lados en la que podía leerse «estoy» y «no estoy». Estuvo a punto de preguntar: «¿Es agradable su huésped?», pero finalmente decidió no hacerlo. Se limitó a hacer un par de comentarios lisonjeros acerca del aspecto de la mujer, en especial acerca de su cabello, y abandonó la casa silbando.

EN UNA TRANQUILA CALLE de Gorkum había una casa destartalada que había conocido tiempos mejores. Pertenecía a Almas Vivas. A Paul le habían pedido que ayudara a adecentarla. Dijo que se sentía incapaz de hacerlo y que quería quedarse con Josie. Los miembros de la secta habían sido comprensivos y le sugirieron que discutiera el tema con ella. Le permitieron subir a la planta prohibida a hablar con la muchacha sobre el asunto, mientras le esperaban.

—Sólo se trata de un par de días —dijo Josie—. Así es que accede a ello —parecía hablar en serio.

Paul estaba empapelando una habitación con un chico llamado Gert. Cortaban tiras de papel de tres metros veinte centímetros de longitud, las extendían sobre una mesa y las encolaban. Paul se subía a una escalera —sólo tenía que subir dos peldaños dada su estatura— y sostenía cada tira desde lo alto de la pared mientras Gert se aseguraba de que encajara exactamente con la anterior. Luego pasaban repetidas veces las manos, a lo largo de la tira, que quedaba así pegada a la pared.

—¿Sabes lo que significa meandrino? —preguntó Gert.

—Probablemente se trata de un pegamento especial para empapelar paredes.

—No, no es eso.

—Pues, ¿entonces?

—No es un nombre ni un verbo. Es un adjetivo, que me he inventado, a partir de meandro, y significa «lleno de sinuosidades y recovecos».

—Nunca lo habría adivinado —dijo Paul—. ¿Qué te hizo pensar en esa palabra?

—Sólo estaba pensando en cómo las cosas no son siempre lo que parecen —dijo Gert—. Al principio pensé que Almas Vivas era una pandilla de embaucadores.

—¿Y qué es lo que piensas ahora?

—Lo mismo que tú. El Profeta nos da paz y libertad. Nos quita las preocupaciones y nos deja vivir, llevando una vida corriente, día a día y semana a semana.

«Realmente habla en serio —pensó Paul—. Almas Vivas no es en absoluto como nos la describió Keizer. Puedo marcharme cuando lo desee. Y lo mismo Gert.» Desde el comienzo a Paul le había parecido que Keizer había retratado a la secta de forma demasiado negativa. Debía de odiarlos. La verdad es que eran amistosos y afectuosos y no ejercían ninguna presión sobre él. Keizer le había presionado más que Almas Vivas.

Paul era tan alérgico a todo tipo de presión como lo es al polen de las flores el propenso a la fiebre del heno. Si uno quería que a Paul le gustara lo negro, podía estar seguro de que él se entusiasmaría con lo blanco. Si uno hacía elogios de la cerveza, a Paul se le antojaría la leche. Hablaba mucho con Gert y con los otros siete miembros de la secta que estaban trabajando en la casa. Éstos se aseguraban de que nunca estuviera solo. Paul trabajaba desde el amanecer hasta el anochecer. Aquello le agotaba, pero se trataba de una forma de agotamiento placentera. Mientras tanto sus compañeros le hablaban incesantemente sobre sus convicciones, su creencia en el Profeta, y de lo felices que eran. Paul tenía buena madera, decían, y por eso le querían.

CÉLINE ACUDIÓ AL PARQUE VONDEL a la hora convenida. Dirigió a Valentine una mirada de complicidad y le dijo que no había visto a Josie, aunque había averiguado que tenía una habitación en el piso alto junto con las Eminencias. La muchacha había sido elegida para llegar a ser una personalidad dentro del movimiento. En cuanto a Paul, no había estado en el edificio recientemente; parecía que se había ido a trabajar con uno de los grupos exteriores.

—Muchas gracias —dijo Valentine—. Mantén los ojos bien abiertos. Y no hables con nadie sobre esto, excepto con el Profeta, por supuesto, en el caso de que se dirija a ti. Le he escrito para informarle de que tú eres la persona en la que estoy confiando. Ésta es una copia de la carta.

Valentine se la enseñó a Céline. Por supuesto que no la había enviado.

—¡Caramba! —exclamó Céline.

—Reunámonos aquí de nuevo pasado mañana a la misma hora.

—Está bien —replicó Céline.

POR LA NOCHE, EN EL CAFÉ, Valentine y Keizer hablaron de aquellas noticias nada halagüeñas. Keizer estaba preocupado y se sentía culpable, aunque procuraba no exteriorizarlo.

—Tenemos que encontrar la manera de ponernos en contacto con ellos —dijo—. No nos será fácil. Las leyes no nos favorecen en absoluto.

—No tiene que resultarnos demasiado difícil localizar a Paul —dijo Valentine—. Los grupos de trabajo externo puede que estén menos alerta.

—Haremos que Leo se ocupe de ese asunto —dijo Keizer.

No fue necesario. La puerta del café se abrió y la enorme figura de Paul se acercó hasta ellos. Se sentó.

—De vuelta de nuevo —comentó Paul.

—Hemos estado preocupados por ti —dijo Keizer.

—Sin necesidad. He estado en buenas manos.

—¿Por qué no te pusiste en contacto con nosotros antes? ¿No pudiste hacerlo?

—Sí que pude —dijo Paul—. Señor Keizer, he venido a comunicarle que no quiero seguir participando en su operación.

—Ya veo —dijo Keizer.

—¿Y por qué no? —preguntó Valentine con asombro.

—Pues porque cree que en Almas Vivas le están diciendo la verdad —respondió Keizer—. Porque tienen razón y no hay nada malo en su conducta. Y porque el Profeta es un gran hombre. De eso se trata, ¿no es cierto, Paul?

—Así es, exactamente.

—No vas a decirme que crees en todos esos disparates —exclamó Valentine—, después de todas las advertencias del comisario. Sencillamente, no es posible. ¡Baja de las nubes, hombre!

—El Profeta lo ha previsto todo —dijo Paul—. Nos ha prevenido de que el mundo exterior hablará mal de nosotros. Tienen celos porque no pueden pertenecer a nuestro movimiento, y persiguen al Profeta del mismo modo que se persiguió a Jesús.

—Estás loco. Completamente loco —dijo Valentine.

Keizer quiso apaciguar a su colaborador.

—Calla, no digas eso. Paul lo cree sinceramente. Han hecho que se lo crea.

—¡Monsergas! —dijo Paul—. Sé que es cierto. Me he enterado de la verdad libre y voluntariamente. Me han hablado mucho estos últimos días, y he aprendido mucho sobre el Profeta y sobre mí mismo.

—Y te han hecho trabajar de firme, ¿no es cierto? —preguntó Keizer—. Y no te han dado gran cosa de comer. Has adelgazado por lo menos tres kilos.

—Sí, así es; pero eso no tiene importancia. Creo en lo que creo.

—Antes de que iniciáramos esto discutimos lo que harían, cómo debilitarían tu resistencia, cómo repetirían su mensaje interminablemente hasta que te derrumbaras. ¿Lo has olvidado?

—Por supuesto que no —replicó Paul—. Estoy agradecido porque ahora sé realmente cuál es la verdad.

Valentine escuchó la conversación estupefacto, mientras le palpitaban las sienes. ¿Cómo podía una persona tan sensata como Paul haber caído en esa trampa?

—¿Les llegaste a revelar que yo era un infiltrado? —preguntó.

—No —dijo Paul—. Sé que debería haberlo hecho, pero no lo hice. Ellos sabían que yo lo era. No sé cómo se enteraron, pero eso no importa ya.

—¿Podría Josie habérselo contado? —preguntó Valentine—. ¿Sabes cómo se encuentra, Paul?

—No; yo he estado en Gorkum. Allí también hay un grupo.

—Así que te has convertido en una verdadera alma viva —dijo Keizer con tristeza—. Es culpa mía. Nunca me lo perdonaré.

—No diga eso. Le estoy inmensamente agradecido —dijo Paul—. Es lo mejor que me ha sucedido en mi vida.

—¡Paul, despierta! —gritó Valentine.

—Debo marcharme. Hasta la vista.

—Adiós, Paul.

Keizer y Valentine contemplaron impotentes cómo se marchaba Paul. Sus anchos hombros eran la imagen de la obstinación, incluso de espaldas.

—¡Cielo santo! —susurró Valentine.

Keizer no pronunció una sola palabra, pero su semblante hablaba por sí solo.

—Nunca fue especialmente contrario a la secta, ni siquiera al comienzo —comentó Valentine.

—No quiso verse influido por nosotros, por mí concretamente —dijo Keizer—. Quería juzgar por sí mismo. Ahora no tiene criterios propios, sólo aquellos que le ha imbuido la organización. Durante toda mi carrera profesional en el cuerpo de policía jamás cometí una equivocación como ésta. ¿Y qué habrá sido de Josie?

—Una vez que se le mete a Paul algo en la cabeza es difícil sacárselo —dijo Valentine—. A menos que pongamos fin a Almas Vivas, me temo que Paul se quedará con ellos mucho tiempo.

—Al fin caerán —dijo Keizer con el ceño fruncido—. Aunque tenga que transgredir las leyes. De cualquier forma, de ahora en adelante actuaré por mi cuenta. No voy a perderte a ti también.

—¡Eso ni se le ocurra!

—Ya has visto lo que puede suceder.

—He visto a pobres desgraciadas como Céline —dijo Valentine—. La chica es feliz y vive como un sapo. No tiene opiniones propias sobre tema alguno. Su problema es también mío, señor Keizer. Así es que cuente conmigo.

El antiguo comisario dio un profundo suspiro.

—Elaboremos un plan de acción —dijo.

MIENTRAS TANTO, LEO WAGENAAR estaba tratando de entablar conversación con una estudiante de Derecho, una tal Lucy de Ridder. Lucy era rubia, y Leo prefería las morenas; la muchacha era bastante delgada y a Leo le gustaban más las rellenitas, pero la chica tenía algo de lo que carecía cualquier otra chica: una buhardilla que había alquilado a la mujer de los rulos. Leo la había visto salir por la puerta y la había seguido hasta la biblioteca de la universidad. El joven retiró un libro de uno de los estantes y se sentó al lado de la chica. Leo parecía estar absorto en la lectura, pero no se enteró ni del título del libro. La verdad es que estaba examinando a la chica por el rabillo del ojo. No tenía mal aspecto. Se dio cuenta de que estaba leyendo un libro de un profesor llamado Van Overhagen, y a Leo se le ocurrió que, para entablar conversación con la chica, podría decirle: «el autor de ese libro es tío mío»; pero se lo pensó mejor, pues habría tenido que confesar la verdad en cuestión de segundos. Tuvo que pensar rápidamente en alguna forma de iniciar la conversación: la chica había encontrado lo que iba buscando. Cerró el libro y recogió sus cosas para marcharse. Entonces Leo se aventuró a abordarla.

—¿Te importa que te pregunte una cosa?

—Por supuesto que no —respondió.

—¿Tienes idea de lo que significa el título de este libro? —preguntó enseñándole la cubierta.

—*Conversión energética magnetohidrodinámica* —leyó la chica, algo desconcertada—. No tengo ni la menor idea —dijo—. ¿Por qué estás leyéndolo si no entiendes de qué trata?

—Porque quería sentarme aquí con el único objeto de poder charlar contigo —dijo Leo.

—Shhh... —siseó alguien—. Váyanse a hablar a otra parte. Esto es una biblioteca.

—¡Idiota! —comentó airada Lucy.

Leo la siguió hasta la calle. Al menos se había roto el hielo. Los dos fueron juntos a un café y pidieron algo de beber. Se pusieron a hablar con cara de circunstancias sobre tópicos: el tiempo, planes de vacaciones, la cantidad de gente con el gesto adusto con la que se cruzaban, hasta que al fin soltó Leo:

—Tengo algo que confesarte. A pesar de que me encantan tu pelo y tus esbeltas piernas, ése no es realmente el motivo por el que quería charlar contigo.

—¿Ah, no? —preguntó la chica, sorprendida.

Eso alteraba las cosas. Leo le habló brevemente de Almas Vivas, de Josie y Paul, y de lo preocupado que estaba el comisario por ellos, de la imposibilidad de conseguir una orden de registro del edificio, así como de su propósito de comprobar si podía introducirse en el inmueble por la ventana de la buhardilla de su piso de alquiler.

—Vaya, vaya —comentó Lucy.

—¿Qué quieres decir con «vaya, vaya»?

—Pues que tendré que pensármelo. Como ahora ya sabes, soy estudiante de Derecho. Si te ayudo en un allanamiento de morada, me convierto en tu cómplice. ¿Crees que íbamos a disfrutar remendando sacas de correo?

A Leo cada vez le gustaba más la chica.

—Primero, déjame entrar, y luego vete a comprar unas albóndigas con patatas y haremos una apetitosa cena para dos personas —dijo Leo—. Aquí está mi cartera. Mientras tú haces eso me entretendré en echar una ojeada. No eres responsable de tus invitados durante tu ausencia.

—Eso está por ver —dijo Lucy—. Pero de acuerdo.

—Sería mejor no encontrarnos con tu casera, la de los rulos —dijo Leo—. No le caigo bien.

—No me sorprende —comentó Lucy—. Pero no te preocupes, ésta es la noche que dedica a su partida de cartas. No estará de vuelta antes de la una.

Leo hizo señas al camarero y pagó la cuenta. Se metió la factura cuidadosamente en el bolsillo, pues quería estar seguro de que Keizer le abonaría el importe.

—Vámonos —dijo.

AQUEL MISMO DÍA, hacia medianoche, Willem de Vries, alias el Profeta, dijo a la Eminencia María:

—Tráela a mi presencia.

María se dirigió a una pequeña habitación en cuyo duro camastro estaba tendida Josie bajo una potente luz. Tenía un libro abierto abandonado sobre su estómago, la mirada fija en la desnuda pared y los ojos enormemente abiertos. No se había arreglado las trenzas durante cuatro días y tenían el aspecto de sogas deshilachadas. Josie procuró dar a su semblante un gesto piadoso y espiritual mientras seguía a la Eminencia hacia la estancia del Líder.

Era la tercera vez que había sido citada. El Profeta estaba arrellanado en un sillón bajo, como le había visto la última vez, y llevaba la camisa desabrochada. Sobre la mesa que había a su lado reposaba una botella de cerveza medio vacía y un par de vasos. Cuando Josie entró, Willem de Vries le señaló un taburete de madera de asiento bajo y que ella ya conocía, y le pidió que se sentara con voz autoritaria, pero amable. El Profeta la estuvo examinando escrupulosamente durante varios minutos. La suya era una actitud sumamente extraña, pero a Josie hacía mucho tiempo que no le asombraba nada en la conducta de Willem de Vries. María ya había abandonado la habitación.

—¿Eres feliz? —la preguntó Willem de Vries.

—Sí, Profeta, soy muy feliz.

131

—¿Hay algo que no llegues a comprender? ¿Quieres preguntarme algo?

—No, no quiero. Vos habéis dado todas las respuestas. Pero me encuentro muy, muy cansada.

—El trabajo duro es bueno para ti —declaró el Profeta desde su confortable sillón, echando un trago de cerveza—. Me satisface que te sientas como en casa en Almas Vivas. Cuando te veo a ti y a los demás, me siento lleno de gratitud de que Dia me haya otorgado dones que me hagan significar tanto para vosotros.

—Obair Biadh, el Profeta prevé —dijo Josie humildemente.

—Amén —dijo De Vries.

La alentó con un movimiento de cabeza y le dijo que le parecía que se estaba convirtiendo en una excelente alma viva. Antes de mandarle que se retirara le pidió que llamara a la Eminencia María.

—Sí, Profeta.

Josie dio el recado a María y regresó a su cama. No volvió a abrir el libro, sino que se echó sobre un costado y hundió los ojos en la fina almohada para que no le llegara la luz que iluminaba el cuarto día y noche. El interruptor estaba en el pasillo y la Eminencia Anna guardaba la llave.

El gran líder dirigió a María una hosca mirada.

—¿Qué te parece?

—Hace su trabajo concienzudamente —contestó María—. No pregunta. Creo que se está convirtiendo en una auténtica alma viva.

—¡Nada de eso! —gruñó De Vries—. Nos está engañando y representando un papel. La chica no cree ni una sola palabra de lo que le digo, ¡ni una sola palabra! Pero la someteré. Para cuando haya acabado con ella, me estará besando los pies. La nieta de Keizer gemirá de placer al oír mi voz y se extasiará al contacto de mi mano sobre su corazón.

—No lo pongo en duda —dijo María.

—Enciende varitas de incienso en su habitación esta noche. Aumenta la dosis de alertine en su comida. Eso anulará su sentido crítico. Sus objeciones se harán más vagas, y la verdad le parecerá más sencilla. Mi verdad es su verdad. O al menos será así. Ahora vete. Debo meditar.

María abandonó obedientemente la estancia. El líder de Almas Vivas se quedó contemplando el techo y se recreó gozosamente en la grandeza de su espíritu.

8

En las estanterías de la biblioteca de Keizer se alineaban cientos de libros. La mitad de un estante estaba dedicado a sectas, religiones y métodos de sugestionar a la gente. Keizer había leído la mayoría de ellos y había reflexionado mucho sobre su contenido. ¿Estaba en contra de la secta Almas Vivas? ¿Era enemigo de todas las sectas, de todas las confesiones religiosas? Sí que estaba en contra de las sectas, pero no en contra de las confesiones religiosas. ¿Dónde debería trazarse la línea divisoria? ¿Tenía algún derecho para oponerse a Almas Vivas? La secta parecía haber hecho felices a algunos jóvenes. ¿Por qué no iban a seguir a Willem de Vries en lugar de a Jesús, Mahoma o Buda, si así lo deseaban? Había que reconocer que Mahoma resultaba mucho más impresionante que Willem de Vries, pero ¿no podría eso deberse a prejuicios personales de Keizer? ¿Era aceptable el cristianismo porque es una confesión religiosa antigua y sólidamente establecida, mientras que Almas Vivas era algo absurdo porque se trataba de una secta nueva y de origen holandés?

Keizer se había hecho a menudo éstas y otras preguntas, y no siempre había sido capaz de responderlas; pero no obstante había llegado a la conclusión de que tenía el derecho e incluso el deber de oponerse a la secta de Willem de Vries. Cuando la gente cree profundamente en algo, tiende a asociarse en grupos o movimientos con objeto de estar con personas que compartan su misma mentalidad. Al Dios de la Biblia se le venera de formas muy diversas. Las personas se agrupan de acuerdo con sus ideas comunes en cuestiones de religión, política, patriotismo, ecología, etc. Eso estaba bien, pensaba Keizer, siempre y cuando a las personas se les permitiera pensar por sí mismas, y las actitudes críticas pudieran suscitarse dentro de los respectivos grupos. Pero una vez que dejaban de darse estas condiciones, una vez que se exigía a los miembros de un grupo la ciega obediencia, una vez que se seguía incondicionalmente a un líder que no había sido elegido democráticamente y que, por tanto, no podía ser depuesto de su cargo, independientemente de lo que dijera o hiciera, algo no marchaba bien. Entonces la situación se volvía peligrosa.

La Historia estaba repleta de líderes que querían que sus seguidores les obedecieran sin titubear. En todos los casos la experiencia acababa mal, habitualmente con un desenlace sangriento y a costa de numerosas vidas humanas. Un buen líder era aquel que inspiraba a sus seguidores, y los animaba a emplear la conciencia y la creatividad. Un mal líder convertía a sus seguidores en robots que se expresaban mecánicamente como si fueran loritos. Keizer llegó a la conclusión de que estaba en su derecho a oponerse a los malos líderes aunque, estrictamente hablando, no estuvieran quebrantando ley alguna. La legislación es algo bueno, una de las mejores cosas que ha creado la humanidad, pero no es perfecta, y se encuentra en un proceso constante de perfeccionamiento.

EL CAFÉ SE HABÍA CONVERTIDO casi en un segundo hogar para Keizer y Valentine. Allí se encontraban de nuevo los dos.

—Hay algo que no deja de inquietarme —dijo Valentine—. Imaginemos que se demuestra que Willem de Vries está haciendo algo ilegal. No es que lo parezca; pero imaginémoslo como apoyo a mi argumentación. ¿Qué le sucederá a Paul, o a esa chica llamada Céline, si desenmascaramos al Profeta y le enviamos a la cárcel? Le adorarán incluso más, una vez que sea puesto en libertad.

—Lo que pretendes decir es que se convertirá en un mártir de su causa —dijo Keizer.

—Sí. Y aún hay más. Se sentirán vacíos sin él y desdichados. Les arrebataremos algo sin que lleguemos a reemplazárselo por ninguna otra cosa.

Los dos discutieron el problema durante largo rato. Keizer miraba con respeto renovado el rostro delgado y los ojos limpios de Valentine. Había comenzado a sentir un profundo afecto por aquel chico y estaba encantado de que continuara con él en la operación. Era gratificante trabajar con él.

LEO ACUDIÓ A CASA DE LUCY por segunda noche consecutiva. La joven le había hecho entrar sin que se apercibiera la casera, lo que fue una suerte, ya que iba cargado con todas sus herramientas. La noche anterior había analizado minuciosamente qué utensilios necesitaba para poder llegar a la fachada del edificio de Almas Vivas. Ahora le estaba enseñando a Lucy dos largas barras de hierro dobladas en sus extremos, a modo de garfios.

—Mira —dijo Leo—. Primero engancho los garfios al canalón. Luego sujeto esta tabla al otro extremo de las barras; hará de peldaño. Me pondré de pie sobre la tabla y luego, poco a poco, me iré acercando a la fachada del edificio de Almas Vivas, moviendo alternativamente las barras.

—No puedes estar hablando en serio.

—¿Por qué no?

—¿No me estarás diciendo que te vas a colgar a quince metros del suelo, sobre dos barras enganchadas a un precario canalón, y a moverte a lo largo del mismo?

—Por supuesto que sí.

—No desde mi ventana. Te caerás, lo sé.

—Mi querida jovencita, yo...

—No soy tu querida jovencita.

—Lucy, tengo que hacerlo. No hay otra forma de entrar. Se trata de una buena causa. Y realmente no es peligroso. El canalón se halla en buen estado.

—¿Cómo lo sabes?

—Es que soy un especialista en canalones. En mi juventud fui un turista de tejados y merodeé por todos los canalones de Amsterdam. Soy un superexperto en el tema.

—Vaya un embustero redomado que estás hecho —dijo Lucy.

—No sé lo que significa redomado, pero espero que signifique encantador. En realidad es absolutamente cierto lo que te estoy diciendo.

A Lucy le llevó algún tiempo convencerse. La joven cedió al final, pero se negó a observar la maniobra encerrándose en su pequeña cocina. Leo colgó las barras del canalón sin demasiada dificultad, fijó el peldaño al extremo de las mismas y luego probó el artilugio, tirando con fuerza de él, para asegurarse de que no cedía. El canalón crujió un poco, pero parecía aguantar. Leo salió al alféizar de la ventana y apoyó todo su peso en el peldaño. El artilugio comenzó a balancearse terriblemente; el antiguo «turista de tejados» no parecía estar disfrutando demasiado de aquella experiencia. Una vez que las barras dejaron de balancearse, Leo corrió su peso hacia la derecha y empujó la barra izquierda. Aquello funcionó tal y como había esperado que lo hiciera; no era la primera vez que había puesto en práctica aquel método de transporte aéreo. Leo se fue desplazando lentamente a lo largo de la fachada, sin mirar hacia el suelo ni una sola vez. «Qué fastidio que la primera ventana accesible esté tan iluminada», pensó. No parece que tenga cortinas. Si allí hay alguien y tengo que seguir hasta la siguiente ventana, me verá con toda esa luz.

Leo tuvo suerte. Cuando llegó a la ventana iluminada y miró cautelosamente al interior, vio a Josie sentada en la cama. Al menos se parecía a la chica de la fotografía que Keizer le había enseñado. Sí, tenía que ser ella, la chica de las grandes trenzas. Estaba sola. Leo golpeó suavemente el cristal. La chica levantó la vista, sobresaltada al ver un rostro contra la ventana. Leo se puso el índice sobre los labios. Josie se acercó a la ventana y Leo le hizo señas de que la abriera; titubeó un poco antes de hacerlo.

—¿Quién eres? ¿Qué es lo que quieres?

—Soy Leo Wagennar y estoy trabajando para tu abuelo. ¿Puedo entrar?

—Será mejor que no lo hagas. Podría aparecer alguien en cualquier momento.

—¿Te tienen prisionera aquí dentro?

—No; realmente, no. Puedo levantarme y salir del cuarto. Sin embargo, están haciéndome otras cosas.

—¿Qué cosas?

—Tienes que marcharte. ¿Puedes regresar dentro de una hora? Para entonces nadie nos vigilará.

—Lo intentaré —dijo Leo.

El joven le hizo un gesto de despedida y se marchó por el mismo procedimiento que había empleado para llegar hasta el cuarto de Josie, y en el momento preciso, ya que justamente al mismo tiempo entró alguien en la habitación. Una hora después sería la una de la madrugada. «¿Qué le parecerá a Lucy?», se preguntó Leo.

Lucy estaba dispuesta a colaborar de nuevo.

—No me importa tanto, ahora que sé que el canalón puede soportar tu peso —dijo Lucy—, pero será mejor que hablemos en voz baja, ya que mi casera duerme justo debajo de nosotros y, si nos oye, estamos expuestos a que suba a quejarse.

A la una y cinco Leo reapareció ante la ventana de Josie. Le estaba esperando y le abrió para que Leo pudiera entrar. El joven estaba expuesto a cualquier mirada inoportuna desde las viviendas de la calle Kerk.

Una mala digestión mantenía despierto al señor Van der Grinten, que se encontraba mirando de muy mal humor por la ventana. Lo que vio al otro lado de los jardines parecía ser un caso típico de allanamiento por el método de la escalada. Avisó a la policía por teléfono. Le dieron las gracias y le aseguraron que enviarían un coche inmediatamente.

En aquellos momentos Leo y Josie estaban sentados en el camastro charlando en voz muy baja. Josie le dijo a Leo que parecía que la secta estaba tratando de desmoralizarla haciéndole trabajar hasta la extenuación y dejándola dormir muy poco. También sospechaba que le echaban algún tipo de droga en el café.

—Los vi echando algo en una ocasión —dijo Josie—. Fingí no darme cuenta, pero ahora tiro el café en un tiesto siempre que puedo. El problema es que sin el café me canso mucho más.

—¿Crees que Willem de Vries es un Profeta enviado por Dios? ¿Le adoras y le admiras?

—Willem de Vries es un tonto engreído —dijo Josie escuetamente—. Todas sus enseñanzas son una sarta de majaderías. Y esto lo afirmo aunque me obliguen a dormir en una habitación cargada de incienso el resto de mi vida...

—Entonces a eso es a lo que huele.

—Sí, y aunque no pueda apagar la luz jamás, no por eso voy a dejarme impresionar por sus sermones.

—Así se habla —dijo Leo.

Josie se encogió de hombros.

—Para mí es un misterio cómo alguien puede creer que el Iluminado refleja la luz de Dia y la utiliza para resucitar a las almas muertas. Esto es un disparate, lo diga quien lo diga.

—Paul lo cree —le dijo Leo.

—Eso me han dicho. Pensé que me mentían.

—No; realmente lo cree. Tu abuelo se siente preocupadísimo por ello.

—Me lo imagino —dijo Josie con gesto contrariado—. Pero ¿por qué has venido?

—Para empezar, estábamos preocupados por ti, y ahora que veo lo flacucha que estás, sé que teníamos razón al estarlo. También queríamos averiguar si te estaban reteniendo contra tu voluntad y por qué te negabas a ver al comisario.

—¿Ha venido a visitarme? No me han dicho nada.

—Le dijeron que tú no querías verle.

—¡Vaya un hatajo de mentirosos!

—A lo mejor estabas dormida.

—¿Cuándo fue eso?

—Hace dos días, a las nueve de la mañana.

—Pudiera ser que estuviera dormida. A menudo me tienen despierta toda la noche y luego me dejan dormir un par de horas por la mañana.

—Está bien. También nos preguntábamos si habrías averiguado algo interesante.

—Tal vez —dijo Josie—. De Vries sale a menudo de dos a cuatro de la tarde. Creo que va a comprar monedas. La numismática le vuelve loco.

—Eso está muy bien —comentó Leo.

—Las Eminencias también salen entonces, o se quedan descansando. Desgraciadamente, De Vries cierra siempre con llave la puerta de su despacho. He tratado de entrar, pero no lo he conseguido todavía.

Leo se frotó las manos de alegría. Le gustaban las cerraduras.

—Entonces nosotros... —comenzó a decir cuando se oyó un timbre en el edificio. A aquellas horas todos dormían.

—Es el timbre de la puerta —dijo Josie.

Los dos se pusieron a escuchar, expectantes. Sonaron unos pasos como si alguien del segundo piso estuviera bajando las escaleras para abrir la puerta. Se volvieron a oír pisadas por las escaleras y el sonido de voces apagadas.

—Puede que se trate de un nuevo converso —dijo Leo.

—Sería más prudente que te fueras.

—Tienes razón. Volveré mañana hacia las dos de la tarde, provisto de algunas herramientas para abrir la puerta de De Vries.

Era demasiado tarde. Unos pasos presurosos se aproximaban a la habitación de Josie. Leo se metió rápidamente debajo de la cama. El suelo estaba lleno de polvo.

—Los pies —susurró Josie.

El joven encogió sus largas piernas contra el pecho, pero la cama era tan estrecha que seguía asomando una rodilla. No tuvo tiempo suficiente para cambiar la postura de modo que no pudiera ser visto en aquel escondite improvisado. La puerta se abrió bruscamente y en el umbral aparecieron el propio Profeta y el TES Govert.

De Vries señaló a la cama y dijo con calma:

—Salga de ahí debajo.

Leo salió de su escondrijo. Se sintió tan humillado al hacerlo como se habría sentido de haber sido obligado a postrarse en el suelo. Su gran estatura no facilitaba las cosas. El joven presentaba un aspecto bastante zafio.

—Explíquese —dijo De Vries.

—La amo —replicó Leo—. Josie me ha tenido encandilado durante tres años. Quiero decir que he estado tratando de conseguirla durante los tres últimos años. No he podido dormir ni comer desde el día en que desapareció. Entonces oí que se encontraba aquí, y yo...

De Vries se volvió a Govert:

—Ve a decirle al policía que no ha pasado nada —y dirigiéndose a Josie, preguntó—: ¿Y por qué le dejaste entrar?

—¿Qué otra cosa podría haber hecho? Apareció ante la ventana y tuve miedo de que se cayera. Nos conocemos desde hace mucho tiempo.

—¿A quién eliges, a él o a mí?

—¡Oh, Profeta! Obair Biadh, el Profeta prevé.

—¿No podría unirme a Almas Vivas yo también? —preguntó Leo, procurando aparentar que estaba desesperado.

—En cualquier caso, no esta noche —dijo el Profeta—, y por supuesto no exclusivamente por el amor de una chica. Vuelva otro día de la semana. Pero ahora, márchese.

—Sí, señor —dijo Leo. El joven se dirigió hacia la ventana.

—Por la puerta y las escaleras, como lo hace todo el mundo.

—Sí, señor.

¿Qué demonios iba a hacer con las barras de hierro? ¿Y qué pensaría Lucy? No podía telefonearla en mitad de la noche sin que su iracunda casera descolgara el auricular. A su imaginación le quedaban aún suficientes recursos como para susurrar audiblemente a Josie al pasar junto a ella:

—Piensa en mí alguna vez, cariño.

Leo dejó atrás al gran líder y bajó lentamente las escaleras, con los ojos bien alerta. El caserón estaba de nuevo en silencio. Govert le acompañó hasta la puerta.

—Qué amigos más extraños tienes —le dijo el Profeta a Josie—. Sería mejor que te concentraras en Almas Vivas en lugar de en ese individuo tan raro.

—Sí, Profeta. Quizá haya sucedido porque la luz está siempre encendida. Las polillas se ven atraídas por la luz. ¿No podrían apagarla esta noche?

—Será mejor no hacerlo, hija mía. La luz ahuyenta a los demonios y a los malos pensamientos.

De Vries se marchó sin dar las buenas noches a Josie y regresó a su propia habitación. Allí estaba la Eminencia Anna y el Profeta le contó lo que había sucedido.

—Un vecino de enfrente telefoneó a la policía y ésta se ha presentado, pero no quise dejarles pasar. No confío en ellos. Aunque bien pensado, tal vez debería haberlo hecho. Habría sido un placer ver cómo arrestaban a ese patán.

—¿Crees que dijo la verdad?

—No estoy seguro —dijo Willem de Vries—. Me pregunto qué habrá dentro de la cabeza de esa chica. Evidentemente, es menos inocente de lo que parece.

«De menudo apuro me he librado», pensó Leo, una vez que se encontró en el Prinsengracht. El joven miraba hacia lo alto no en actitud reverente, como podría haber esperado el Profeta, ni siquiera para admirar las estrellas que brillaban en el cielo, sino meditando la forma de poder llegar hasta Lucy en su cuarto de atrás del tercer piso de la oscura casa que se alzaba ante él. Estuvo a punto de ir a buscar el tirachinas con el que jugaba de niño para lanzar una piedra con una nota a través de la ventana abierta, desde el jardín de la calle Kerk. Decidió no hacerlo; estaba desentrenado y le iba a fallar la puntería.

Al final se metió en su Volkswagen y se dirigió hasta la zona norte de Amsterdam donde estaba su buhardilla. Sabía que tenía un rollo de alambre que le sería muy útil. Después cogió prestado un rastrillo de mango largo del cobertizo de su casero. Era demasiado largo para el «Escarabajo», por lo que el mango asomaba por una de las ventanillas. El joven volvió a aparcar el coche en el Prinsengracht, dobló el extremo del alambre y lo introdujo por el buzón que había en la puerta de la casa contigua al edificio de Almas Vivas. Había visto una cuerda atada al pestillo de la puerta, de forma que ésta pudiera abrirse desde arriba cuando alguien llamara al timbre. Leo pensó que podría abrir la puerta enganchando el alambre a dicha cuerda y tirando con fuerza. Estaba en lo cierto. Una vez franqueada la puerta, se detuvo a escuchar. Oyó un sonido que no pudo distinguir al principio; pero cuando se puso a escuchar con mayor atención, se dio cuenta de que se trataba de ronquidos, probablemente de la mujer de los rulos. Todo estaba saliendo a pedir de boca. Subió las escaleras de dos en dos, sin hacer el menor ruido, y al llegar a la puerta de Lucy dio unos golpecitos. Ella abrió y se quedó mirando a Leo con asombro al verle allí armado de un rastrillo.

—Buenas noches, señor jardinero. ¿Quiere arreglarme las plantas que tengo en el tejado? —dijo Lucy.

—Está bien, señora.

El joven se asomó a la ventana armado con el rastrillo mientras contaba a Lucy lo que había sucedido.

—¿Cómo lograste entrar aquí de nuevo?

—Con un trozo de alambre.

—Me pregunto quién es realmente el delincuente en esta historia —dijo Lucy.

Leo enganchó el rastrillo en el artilugio que había utilizado para llegar hasta el cuarto de Josie y tiró de él lentamente. No fue fácil arrastrarlo, pero al final consiguió recuperarlo.

—¿Te importa que lo deje aquí? Tengo que volver esta tarde.

—No seas tonto, te verán como lo han hecho esta noche.

—Pero no telefonearán a la policía —replicó Leo—. Las cosas parecen mucho más normales a la luz del día.

—No sé si estaré en casa esta tarde.

—Podría quedarme aquí —sugirió Leo esperanzadamente.

—Vamos, márchate. ¡Son las dos y media de la madrugada!

—De acuerdo, de acuerdo. Hasta la vista.

El joven bajó las escaleras sin ser observado. Media hora más tarde se encontraba de vuelta en su propia buhardilla, telefoneando a Keizer para comunicarle todo lo que había acontecido.

—PAUL VAN RAVENSWAAI ha vuelto —le dijo Céline a Valentine.

A Céline le sentaba bien la cazadora roja que llevaba.

—¿Es él el impostor? —preguntó Valentine.

—Lo pongo en duda, a menos que sea muy buen actor. Ya que me lo preguntas, te diré que se ha convertido en una auténtica alma viva.

—¿Y qué me dices de esa chica, de Josie?

—Sigue en el piso alto permanentemente. No me atrevo a preguntar demasiado por ella; por lo que he oído, se ha convertido en la protegida especial del Profeta.

—¿No ha sucedido ninguna otra cosa de particular?

—No, no gran cosa, que yo sepa.

—Me has sido de gran ayuda —le dijo Valentine—. Si no se produce nada importante, es lógico que no me puedas informar de grandes cosas.

—¿Cuándo nos veremos de nuevo?

—¿Mañana por la mañana?

—De acuerdo —respondió Céline.

A LAS DOS Y CINCO Leo asomó cautelosamente la cabeza por la ventana del cuarto de Lucy y recibió en su rostro las primeras gotas de un chaparrón.

—¡Maldita sea! —dijo el joven, contrariado.

—Contra el viento y la lluvia el héroe cabalga hasta su destino —bromeó Lucy—. ¿Quieres un impermeable?

—No, gracias.

El joven salió por la ventana e inició por tercera vez su excursión colgado del canalón. Josie le estaba aguardando con la ventana abierta y le ayudó a entrar. El señor Van de Grinten, de la calle Kerk, se había tomado el día libre debido a sus molestias de estómago y estaba muerto de aburrimiento. No había leído noticia alguna de la policía sobre el suceso de la noche anterior. Cuando vio a Leo Wagenaar realizando su extraordinario recorrido por los tejados de nuevo, esta vez a plena luz del día, pensó que debía de tratarse de alguna nueva chifladura y no hizo el menor caso.

—El Profeta y al menos tres de las Eminencias han salido —dijo Josie—. Me parece que Martha está en su habitación.

—Entonces, manos a la obra —dijo Leo con entusiasmo—. A menos que prefieras primero dejar a Martha sin sentido con un trozo de tubería de plomo.

—No; realmente, no.

Los dos avanzaron de puntillas por el pasillo. Josie señaló una puerta a su derecha.

—Es el cuarto de Martha —dijo.

—Es mucho peor hacer esto a plena luz del día —susurró Leo—. Personalmente, me parece que debería hacerser durante la noche, cuando el hombre lobo sale a aullar a la luna que aparece entre fantasmales jirones de nubes.

—Aquí es.

—Menos mal que es una cerradura antigua —dijo Leo.

La cerradura era de llave con caña de tubo y guardas. Leo sacó un manojo de llaves del bolsillo y se puso a probarlas, una a una. Josie estaba nerviosa. ¿Qué podría hacer si aparecía alguien? Se dio cuenta de que lo peor que podía sucederle es que la expulsaran de Almas Vivas. Aquello no era un gran consuelo, pero contribuyó a tranquilizarla.

—Ya está —dijo Leo cuando se oyó un ruido seco en la cerradura y la puerta se abrió. Los dos entraron rápidamente de puntillas, cerrando la puerta con llave una vez dentro. Leo se dirigió directamente al sillón y, sentándose en él, recorrió la estancia con la mirada.

—Ése es el sillón del Profeta —dijo Josie.

—¿Y bien?

—Oh, no, nada.

Josie pensó que era absurdo considerar poco menos que sagrado aquel sillón. Se sintió molesta consigo misma.

La estancia era de grandes dimensiones. Las ventanas del suroeste daban al canal. Las cortinas de malla estaban corridas. En una esquina había un pequeño escritorio sin nada encima, excepto un tintero de tapa dorada y un secante. Tenía una fila de cajones de cada lado y un hueco en medio para las piernas. También había un par de sillones y una mesa redonda baja, el taburete de madera que ya conocía Josie, dos inmensas plantas de interior y un aparato de televisión de aspecto sofisticado. A su lado había una estantería baja llena de discos. En otra esquina, una puerta que comunicaba, presumiblemente, con un dormitorio. Enfrente, un enorme aparador colocado contra la pared.

Leo y Josie registraron cada uno una fila de cajones del escritorio, pero no dieron con nada de particular: notas para discursos, el texto mecanografiado de uno de los libros que Josie había tenido que aprenderse de memoria y algunos escritos con la letra del Profeta.

—Así es que el propio Profeta escribe todas estas sandeces —susurró Josie.

—No encuentro nada que pueda sernos de ayuda —dijo Leo.

—Ni yo tampoco.

—Si hay algo aquí que valga la pena, estará en ese aparador.

—Que está cerrado con llave— dijo Josie después de comprobarlo.

Leo se acercó al mueble.

—¡Y de qué manera! —comentó—. Se trata de una cerradura con combinación, casi imposible de abrir a menos que se conozca la clave.

—Tanto mayor motivo para echar una ojeada a su interior.

—Así es.

Leo comenzó a hurgar la cerradura con unos alfileres, pero desistió enseguida.

—Si no ando con cuidado voy a arañarla y sabrán que alguien ha estado manipulándola con la intención de abrirla. Hay que evitar toda sospecha. Además, nunca conseguiré abrirla de esta manera.

—¿Se te ocurre alguna otra cosa, profesor? —preguntó Josie.

Leo inspeccionó las bisagras de la puerta y llegó a la conclusión de que eran igual de seguras.

—Es un aparador bastante sólido —dijo—. Y probablemente también incombustible por lo hermético que parece. Realmente se trata de una caja fuerte.

Entonces oyeron pisadas en el pasillo y alguien dio unos golpecitos en la puerta. Los dos intrusos se abrazaron. El corazón de Josie se pudo a latir violentamente; para su deleite, la muchacha advirtió que incluso Leo parecía menos tranquilo que de costumbre.

—Cerré la puerta con llave por dentro —susurró el joven.

—Soy yo, Martha —dijo una voz.

—¿Tiene llave? —preguntó Leo en voz baja.

—Creo que no.

Si la tenía, el caso es que no hizo uso de ella, pues se oyó el ruido de pasos alejándose. Entonces Leo se acercó silenciosamente hasta la puerta y abrió la cerradura con cautela. Se oyó un golpe seco. Los dos contuvieron el aliento, pero Martha no volvió. Leo abrió la puerta unos centímetros y escudriñó el pasillo. El camino estaba despejado. El joven hizo una seña a Josie y ambos regresaron rápidamente de puntillas a la habitación de la muchacha.

—Será mejor que te marches inmediatamente —dijo Josie—. Sé por experiencia que una vez que Martha se pone en movimiento, siempre acaba apareciendo por aquí para comprobar mi estado.

—Una cosa es incuestionable. Tenemos que averiguar cuál es el contenido de esa caja fuerte —dijo Leo—. Pensaré en un modo de abrir la cerradura. Si no, tendrás que enterarte de la clave.

—¿Y cómo demonios quieres que lo consiga?

—Es una cerradura de las que se abren con la combinación de seis números, que se memorizan. ¿No has visto que había botones numerados del uno al diez? La puerta sólo se abre si se aprietan los seis botones adecuados y en orden correcto. Pregúntale al profeta qué número eligió, o sustráele la agenda del bolsillo interior de la chaqueta y comprueba si lo lleva escrito en ella.

—¿Es eso todo? Te parecerá fácil.

—Escucha, Josie, tengo un rastrillo en la casa de al lado. Cuando quiera enviarte un mensaje, le clavaré una nota a su extremo y lo sostendré delante de tu ventana. Y si quieres contestar, haz lo mismo. ¿De acuerdo?

—Está bien.

—Aquí tienes la llave de la puerta de De Vries.

—Gracias.

—Ahora tengo que marcharme. Fue divertido. Gracias por el té.

—Gracias a ti por tus preciosas flores.

Josie abrió la ventana. Leo salió por ella e inició su viaje de vuelta al cuarto de Lucy. El señor Van der Grinten le estuvo observando con interés.

—Turismo de tejados —murmuró—. ¡Qué no inventarán para mantener a estos jovenzuelos apartados de las calles!

9

JOSIE permaneció sentada en el borde de su camastro, cavilando intensamente. ¿Cómo iba a enterarse de la combinación de la cerradura? Qué bromista era Leo. ¡Mira que decirle que fuera a pedírsela al propio Profeta! ¿Dónde habría guardado el número si lo hubiera escrito en alguna parte? ¿Lo tendría escrito realmente? Era más probable que hubiera elegido un número fácil de recordar, como la fecha de su nacimiento. Ella había nacido el 18 de mayo de 1969. Si tuviera que elegir un número que no fuera a olvidar nunca sería el 180569.

«¡Eso es! —pensó Josie—. No me expondré al peligro de robar una agenda. Me limitaré a deducir qué números podría haber elegido De Vries. Robaré el número con el cerebro en lugar de hacerlo con las manos.» Josie buscó en su bolso un cuaderno y un bolígrafo. La chica sabía cuándo había nacido De Vries porque su abuelo se lo había contado, así es que la primera posibilidad era el 141038. Josie lo apuntó. ¿De qué otro número podía tratarse? Josie se acordaba de la pasión del Profeta por el número cuatro. De Vries tenía cuatro Eminencias, así como cuatro veces cuatro eran los TES, y cada grupo de trabajo estaba compuesto por dieciséis miembros; es decir, cuatro por cuatro, y así sucesivamente. Josie escribió: 44.44.44. y 4.16.256, y 4.16.4.16, así como todas las combinaciones de cuatro que se le ocurrían que estuvieran formadas por seis cifras. Se metió la hoja en el bolsillo junto con la llave que encajaba en la cerradura del cuarto de De Vries. Luego fue a limpiar la habitación de la Eminencia María, mientras el corazón le latía con violencia a causa de la emoción que sentía. ¿Tendría el suficiente valor como para entrar por su cuenta en la habitación del gran líder la tarde siguiente y probar los números?

KEIZER Y VALENTINE escucharon con interés el informe de Leo.

—Un excelente trabajo —dijo Keizer, dando unas palmaditas en el hombro del joven larguirucho—. Ahora escúchame con atención, Leo. Vuelve a la casa y envía a Josie con el rastrillo una nota que diga: «Tu abuelo quiere que abandones el edificio inmediatamente y que vengas a nuestro café». Espérala en la puerta principal y tráela aquí. Pienso que ya ha hecho bastante. Es una estudiante de diecisiete años y no una policía entrenada ni una hábil detective privada. La quiero de vuelta y fuera de peligro.

—Va a ser difícil lograr eso antes de mañana por la tarde —dijo Leo titubeante.

—Y eso ¿por qué?

—Pues porque Lucy no regresará hasta entonces. Puedo entrar en la casa con bastante facilidad, pero sé que Lucy siempre cierra con llave la puerta de su apartamento antes de salir, y sería ir demasiado lejos forzar dicha puerta. Lucy ha sido muy amable conmigo.

Keizer comenzó a manosear nerviosamente la corbata. Su hija y su yerno llegaban aquella noche y no sabía qué contarles.

—¿No existe ninguna otra manera de hacerle llegar una nota? —preguntó.

Valentine dejó ver que deseaba participar en la conversación.

—¿Se te ocurre alguna forma de conseguirlo?

—Bueno... —comenzó diciendo Valentine—. Por supuesto usted conoce a su nieta mejor que yo. Pero ¿cree realmente que hará lo que le pide? ¿Cree que va a marcharse y abandonar la empresa porque usted se lo manda? Yo no estoy tan seguro.

—Por supuesto que lo hará —dijo Keizer, aunque sin gran convencimiento.

—Hace un par de semanas usted le pidió que no fuera a vivir allí.

—¡Vaya un momento que has elegido para recordármelo! —dijo el abuelo con cierta irritación.

«No podía ser un momento mejor», pensó Valentine sin llegar a decirlo.

—Muy bien —suspiró Keizer—. Entonces entrégale la nota mañana por la tarde. Si no te hiciera caso, dile que al menos no fuerce la puerta de Willem de Vries. Ojalá nunca hubiera empezado todo esto. Uno puede decir a los agentes de policía lo que tienen que hacer, pero las nietas son un caso distinto.

—Especialmente cuando son como usted —sonrió Valentine.

—Ella no es tonta —añadió Leo desenfadadamente—. No se dejará engañar tan fácilmente.

—Tienes razón —señaló Keizer, sin apenas poder disimular un arrebato de orgullo—. Ella siempre ha sido igual. No obstante, sigo queriendo que le entregues una nota mañana. Espera, la escribiré yo mismo.

«Qué pena que me expulsaran de Almas Vivas —pensó Valentine—. Ojalá estuviera allí con Josie, curioseándolo todo.»

—Si no tienes inconveniente, me gustaría ir contigo mañana a casa de Lucy —dijo.

—Cuantos más seamos, mejor —contestó Leo.

AQUELLA TARDE Paul estuvo vendiendo helados. No era la persona más adecuada para ese trabajo. Con su gran estatura dejaba empequeñecido el carrito y tenía que tener cuidado para no aplastar los frágiles cucuruchos de barquillo con sus manazas. No tuvo muchos clientes. La temperatura había descendido acusadamente después de la lluvia y se avecinaba tiempo variable. Los turistas se quejaban del mal tiempo, se vendían menos refrescos y los helados de vainilla, fresa, plátano y chocolate permanecían intactos en el carrito de Paul.

Imaginemos una gran buhardilla donde se hubiera instalado todo un sistema de ferrocarril en miniatura, con señales, cruces, intersecciones y túneles, trenes circulando por todas partes a distintas velocidades: un pequeño caos, la imagen de lo que es a menudo la vida interior de un joven. Por distintas circunstancias, uno de los trenes cambia de agujas y entra en una vía en la que sólo puede dar vueltas y más vueltas en un círculo cerrado. No descarrila en las curvas, no se detiene ni acelera su velocidad: simplemente avanza y avanza en su carril circular. Es una imagen de cómo se sentía Paul interiormente. Ya no deseaba desviarse a vías laterales, o encontrarse con la sorpresa de señales rojas y verdes, como túneles, o curvas a derecha e izquierda. Su mente se movía en círculo, sin obstáculos ni incertidumbre.

El problema estribaba en que Paul era consciente de ello. Sabía que se estaba aislando de la vida existente fuera del círculo. Cuando rebasó las agujas que comunicaban con la vía circular, éstas se cerraron tras él con un chasquido, y era como si ese chasquido le hiciera estar contento con los límites impuestos por el circuito circular.

Aquella tarde Paul vio a dos personas que conocía. La primera fue Céline, la chica que le había llevado por primera vez a Almas Vivas. Se le acercó y estuvieron charlando, mientras ella sostenía bajo el brazo su eterno montón de carpetas.

—¡Qué maravilla! ¿No es cierto? —dijo Céline.

—No está mal, si no fuera por el frío y la humedad.

—Me refiero a que es maravilloso poder trabajar para Almas Vivas.

—¡Oh, entiendo! Sí, es fenomenal.

—A veces pienso en lo vacía y solitaria que era mi vida anteriormente: espantosa. A veces me despierto por la noche, asustada. ¡Estoy tan agradecida de pertenecer a Almas Vivas! ¿Sientes tú lo mismo?

Paul no se dio cuenta de que Céline estaba tratando, sin ninguna sofisticación, de averiguar si él era el intruso.

—No, no siento lo mismo, pero yo también estoy agradecido. Esta experiencia ha cambiado mi vida. Obair Bhiad, el Profeta prevé.

—Exactamente —replicó Céline, llegando a la conclusión de que Paul era incuestionablemente una auténtica alma viva.

Al segundo visitante aquella tarde Paul no le dio una bienvenida tan cordial. Se trataba de Toby, su antiguo amigo. Se detuvo sorprendido ante el carrito y preguntó a Paul cómo había conseguido el empleo. No se le había ocurrido que el joven barón pudiera estar escaso de dinero, y nunca había oído que hubiera hecho ningún trabajo durante sus vacaciones. Contaba con una generosa asignación de sus padres y no era derrochador.

—Así que al final tú también fuiste al casino —bromeó Toby—. ¿Perdiste tanto como yo gané?

Paul le dijo que se había convertido en miembro de Almas Vivas. Se sentía incómodo. El tren que circulaba por su mente pareció advertir que alguien estaba hurgando indebidamente en las agujas. Existía el riesgo de que fuera desviado de la agradable vía circular.

—¡Venga, hombre! —exclamó Toby, con incredulidad—. ¿Esa secta? ¿Esos chicos de los panfletos? No puedo creerlo.

—Hacen el bien —dijo Paul con severidad. De alguna manera Toby y Almas Vivas no hacían buenas migas. Era la primera vez que se encontraba en una situación embarazosa desde que se había comprometido con el movimiento.

—¿Cómo sabes que es así?

—Pues porque lo sé.

—¿Por qué no discutiste ese asunto conmigo? Quiero decir, ¿cómo es que no he tenido noticia alguna sobre el particular? ¿Qué te hizo desaparecer tan de repente?

—Tú no habrías creído en ellos aunque hubiera tratado de explicarte sus ideas.

—Y eso ¿cómo puedes saberlo? —preguntó Toby, abandonando su tono guasón habitual. Se daba cuenta de que perdería a Paul como amigo si se ponía a ridiculizar a Almas Vivas.

—Pues porque lo sé.

«Vaya una respuesta más extraña, ilógica e incompleta», pensó Toby. «¿Qué le habría hecho a su amigo?»

—En una ocasión me dijiste que los amigos estaban para compartir secretos con ellos —dijo Toby.

—Esto no es un secreto. Me he convertido en alma viva, eso es todo.

—¿En qué crees exactamente? —preguntó Toby—. Cuéntamelo. A lo mejor me gustaría unirme a la secta también.

—En otra ocasión. Ahora estoy ocupado.

—Haciendo ¿qué?

—Tengo que vender helados.

—¡Oh!, ya veo. Perdóname. Por favor, no empuje, señor. Enseguida llegará su turno, señora —dijo Toby mientras hacía gestos a una cola imaginaria que aguardaba con impaciencia ser atendida.

—Ya veo. Te estás burlando de mí —dijo Paul.

En aquel momento llegaron dos chicas y pidieron un helado. Paul se entretuvo mucho en servírselo, con la esperanza de que Toby se marchara, cosa que éste hizo al darse cuenta de la situación. Antes de marcharse preguntó a su amigo:

—¿Te acercarás pronto por la «Cámara de Tortura»?

—Sí, lo haré —respondió Paul, aunque no lo dijo muy en serio.

Depositó el dinero de los helados en el recipiente existente a tal efecto y se quedó mirando la calle, ensimismado. ¿Por qué no intentaba presentar a Toby a Almas Vivas? ¿Tenía miedo de sus críticas? ¿Le asustaba la idea de no poder defenderse? ¿Acaso tenía menos seguridad en sí mismo de lo que se imaginaba?

Paul apartó de la mente todos esos interrogantes, se engañó diciéndose que no tenía suficientes conocimientos. Se sentiría más seguro dentro de poco.

—No quiero descarrilar —dijo a media voz—. No descarrilaré —y sus pensamientos siguieron dando vueltas en círculos cerrados, lo que le protegía del mundo exterior y del caos del libre pensamiento.

EN EL EDIFICIO DE ALMAS VIVAS el día se iniciaba a las cinco de la madrugada. Aquella semana las tareas de la limpieza le tocaban al grupo del TES Jeroen. A las cinco menos cuatro minutos Jeroen apagó el despertador, se incorporó y se sentó en el borde de la cama. Sabía por experiencia que si no lo hacía así se quedaría dormido de nuevo sin darse cuenta. Se estuvo frotando los ojos violentamente durante varios segundos, bostezó y entonces se dirigió al dormitorio donde descansaban cuatro miembros de su grupo. Los doce restantes vivían con sus padres. Despertó a los cuatro chicos, que se pusieron a gruñir como de costumbre en lugar de alegrarse del inicio de un nuevo y maravilloso día repleto de trabajos que realizar para el Profeta.

En cuanto se ducharon, empezaron a limpiar los comedores. Luego fueron al salón principal, situado en la planta baja, donde ordenaron todo. El escenario recibió una atención especial ya que era viernes, el día en que el Profeta dirigía la palabra a sus seguidores.

A las cinco y media sonó el despertador de la TES Yolande. Sólo había dos miembros de su grupo en el edificio, eran dos chicas y fue a despertarlas al dormitorio. Poco antes de las seis sonó suavemente el timbre de la puerta y en menos de cinco minutos, haciendo gala de gran puntualidad, entraron seis miembros del grupo de Yolande y tres del de Jeroen. Prepararon las mesas de los comedores, pusieron a calentar agua para el té y el café, cortaron el pan y sacaron de la alacena unos tarros de compota barata. Para entonces podían oírse ágiles pisadas arriba a medida que las almas vivas se dirigían a los grandes cuartos de baño para lavarse y espabilarse. Fueron bajando lentamente para compartir el desayuno comunitario, durante el cual sólo los jóvenes más aficionados a madrugar hablaban con apasionamiento del maravilloso discurso que iban a tener el privilegio de escuchar por la tarde.

En el piso alto, la vida comenzaba a las seis, excepto para las Eminencias Anna y María, que eran dormilonas recalcitrantes. De Vries siempre había sido madrugador. A las seis un muchacho tímido y cortés, llamado Thomas, que le había traído el desayuno al Profeta los dos últimos años, subió y llamó a la puerta de Josie, esperando hasta oírla exclamar «Vale». No se atrevió a asomar la cabeza por la puerta; le bastaba con oír su voz.

Josie se levantó de la cama. Parpadeó a causa de la luz matinal que irrumpía en la habitación y que ahora era incluso más intensa que la de la bombilla que colgaba del techo. Se sentía hecha una piltrafa. Se había quedado extremadamente delgada y estaba agotada por falta de sueño. «No podré seguir así mucho más tiempo», pensó Josie; pero eso mismo pensaba cada mañana al despertarse. Se trataba del peor momento del día. Después, una vez que la sangre le circulaba más rápidamente por las venas, iba recuperando el ánimo.

Josie se daba una rápida ducha junto al dormitorio de la Eminencia De Vries, el sobrino del Profeta, antes de llevar a cabo su faena diaria de limpiar el retrete. Desde allí solía oír al Profeta moviéndose por su habitación. No sabía en qué se ocupaba Willem de Vries, exceptuando que escuchaba discos de Bach, su compositor predilecto, de seis a ocho de la mañana. Estaba terminantemente prohibido molestarle. En una ocasión había llamado a su puerta antes del desayuno, y el Profeta le había respondido a gritos, furioso.

A las siete, Thomas llevaba el desayuno al Profeta y a dos de sus Eminencias. Anna y María desayunaban una hora más tarde. Todo funcionaba como la maquinaria de un reloj. Se trataba de una comunidad bien organizada a base de normas y mucha disciplina. Josie no llegaba a comprender la razón de ser de todo aquello. Las normas estaban bien cuando había una justificación para ellas. A pesar de los libros que había leído, de las páginas que se había aprendido de memoria y de los carismáticos sermones del Profeta que había oído, no veía claro qué objeto tenía el ser un alma viva, a menos que la finalidad estribara simplemente en serlo. ¿Es el propósito de una bicicleta el ser una bicicleta, o llevar a su dueño de un sitio a otro? ¿Tal vez el propósito de Almas Vivas se ocultaba en la caja fuerte de Willem de Vries? Tenía que averiguarlo hoy mismo. Cuando Thomas salía de la pequeña cocina llevando una bandeja, Josie se fijó en el nueve de la puerta. Todas las habitaciones estaban numeradas. ¿Tendría algo que ver la clave con la numeración de las habitaciones? Josie sacó un pedazo de papel del bolsillo y se puso a escribir nuevas combinaciones, utilizando los números de las puertas que conducían al rellano de la escalera.

—¿Está Johan? —preguntó el Profeta a la Eminencia María, más tarde, aquella mañana—. Me gustaría hablar con él.

María salió apresuradamente en busca del TES, y volvió con él al cabo de pocos minutos.

—¿Tienes alguna información nueva?

—Muy poca cosa —dijo Johan—. Nada, en realidad. Keizer y Valentine de Boer siguen reuniéndose con regularidad en el mismo café, y el chico merodea por aquí de vez en cuando. No me atrevo a seguirle porque me conoce. Sigo convencido de que él, Josie y Paul van Ravenswaai están íntimamente relacionados.

—Paul van Ravenswaai se ha convertido en un auténtico miembro —dijo el Iluminado—, pero la chica...

—A Valentine se le ha prohibido la entrada en el edificio —dijo Johan—, y la chica se encuentra bajo su supervisión. ¿Qué otra cosa quiere que haga?

—No gran cosa —dijo el Profeta—. Ellos nunca nos aventajarán —su autocomplacencia era apabullante—. Nadie puede aventajar al Profeta.

—El Profeta ve y prevé todo —dijo Johan respetuosamente.

—Mantén los ojos bien abiertos —dijo Willem de Vries a su TES al instarle a que se retirara—. Que entre la Eminencia Martha.

Martha entró en la habitación del gran líder.

—La niña de las trenzas... —dijo el Profeta, y se quedó reflexionando sin llegar a acabar la frase.

—La nieta de Keizer —apuntó Martha.

—Te habrás dado cuenta de que es una espía, ¿no es cierto? Sigo sin apreciar en su mirada la menor señal de sumisión o admiración, y mucho menos de convencimiento.

—¿Deberíamos expulsarla?

—No —dijo el Profeta—. Trataré de hipnotizarla.

—¿Quieres que la llame? —preguntó Martha.

—No, todavía no. Mañana. Primero me gustaría preparar mi discurso de esta noche. Redúcele la ración de comida. Di a las demás Eminencias que sean severas con ella. Hacedla sentirse sola y desgraciada. De ese modo será más vulnerable mañana cuando me vea.

—Muy bien.

Cuando Martha se retiró, Willem de Vries no pudo recordar si había estado hablando con Anna, María o Martha. «Cada vez se parecen más entre sí», pensó. Por un lado eso facilitaba las cosas, pero por otro resultaba un poco aburrido. «Qué se le va a hacer.» El Profeta puso otro disco de Bach en su tocadiscos y comenzó a pensar en todas las buenas cosas que diría a sus seguidores aquella misma noche.

Por la tarde el edificio de Almas Vivas permaneció en silencio. El Profeta había salido y no se oía ruido alguno procedente de las habitaciones de las Eminencias, bien porque estaban dormidas o porque habían salido. Josie se armó de suficiente valor para deslizarse hasta la habitación del gran líder. Metió la llave en la cerradura, pero no pudo girarla. No tenía la habilidad de Leo para manejar una llave y hacerla funcionar. Empezó a sudar mientras probaba una y otra vez, con los oídos bien atentos a cualquier ruido. Josie empujó suavemente la llave en distintas direcciones, girándola tanto como podía. De repente cedió la cerradura y Josie entró en la habitación. Por algún extraño motivo le resultó más fácil cerrar la puerta con llave desde el interior. ¡Tal vez estaba adquiriendo la astucia de un ladrón!

Josie se acercó de puntillas a la caja fuerte y apretó seis botones de la cerradura, la fecha de nacimiento de Willem de Vries: 14-10-38. No sucedió nada, ni siquiera se oyó el más leve chasquido. Se sintió defraudada, pues confiaba en que al Profeta le parecería tan importante la fecha de su nacimiento que habría elegido dichos números. Fue probando una combinación tras otra de la lista, pero sin ningún éxito. Nada. Sólo le quedaba la combinación de los números de las habitaciones. Los esfuerzos de Josie fueron inútiles. Arrugó el papel, pero luego se lo pensó mejor y lo alisó de nuevo; podría serle útil saber qué números había probado ya. Ahora apretaré los primeros números que me vengan a la cabeza, pensó. Si Dia es misericordioso, él guiará mi mano. Nueve, cero, seis, siete uno y otra vez nueve. Aquel método no funcionaba, por supuesto. ¿En qué estaría pensando? Si funcionara, los creyentes estarían acertando las quinielas de fútbol a diario.

Josie regresó a su habitación tan cautelosamente como había salido y se echó en la cama. «No hay forma de dar con la clave —pensó—, a menos que...»

Regresó al rellano y abrió la puerta del Profeta de nuevo. Se puso a registrar el dormitorio de De Vries, y abrió el armario. Rebuscó en los bolsillos interiores de las chaquetas que colgaban en las perchas. Encontró algunas cartas, una póliza de seguros de automóvil caducada, una lista de números de teléfono, pero ninguna agenda y, por supuesto, ninguna clave para la combinación de la misteriosa caja fuerte.

De vuelta en su cuarto, se sintió más pesimista que nunca. ¿Qué otra cosa podía hacer? Willem de Vries era más listo que todos ellos. Su fortaleza estaba segura. Predicaba y reunía nuevos prosélitos. Tenía lo que se llama carisma. Era cierto que ella no se había dejado engatusar, pero Paul sí lo había hecho, a pesar de todas las advertencias. Parecía que habían transcurrido siglos desde que habló con su abuelo y le oyó argumentar convincentemente lo equivocado que era el jugar con la libertad de pensamiento. ¿Y si la gente quería realmente hacerlo? Josie trató de recordar lo que había dicho su abuelo. Seguir a un líder ciegamente acaba siempre en desastre; algo así dijo. O casi siempre. No hacía tanto tiempo, había oído hablar en la escuela de la secta revolucionaria de los anabaptistas del siglo dieciséis. Jan Matthijs, originario de la localidad de Haarlem, había querido contribuir al establecimiento del reino de Dios en la Tierra, en Munster. Todo aquel proyecto acabó en un baño de sangre en mil quinientos treinta y cinco.

¿Se había quedado dormida? Josie oyó el sonido de algo que arañaba la ventana. Alzó la vista y vio un objeto extraño. Se levantó rápidamente. Era un rastrillo con una bufanda de lana enrollada a su alrededor y una nota clavada en su extremo. Abrió la ventana y se asomó. A un par de metros de distancia vio el rostro sonriente de Leo Wagenaar asomado a la ventana de la vecina para alcanzar la suya con el rastrillo. Josie no se atrevió a pronunciar palabra, ya que varias ventanas del edificio permanecían abiertas. Se limitó a sonreír, cogió el rastrillo y leyó la nota sujeta a su extremo. Así que su abuelo quería que abandonara la empresa. Josie escribió en el reverso de la nota lo siguiente: «Querido abuelo, te prometo que regresaré muy pronto, pero todavía no. Esta noche el Profeta hablará a sus seguidores una vez más. ¿Puedes arreglártelas para que alguien le pregunte la fecha en que tuvo la inspiración de fundar Almas Vivas ? Necesito conocer la fecha exacta. Te veré pronto. Con cariño, Josie.»

Sujetó el papel a la bufanda con un alfiler y devolvió el rastrillo a Leo, que tuvo que asomarse más pronunciadamente para recogerlo. Tras él pudo ver a Valentine, que le preguntaba por signos si se encontraba bien.

Josie asintió con la cabeza para tranquilizarlos y cerró la ventana.

—ELLA SABE LO QUE TIENE QUE HACER —dijo Valentine a Keizer cuando leyeron la nota. Tuvieron que aguantar el estallido de ira del antiguo comisario ante la obstinación de la nieta—, aunque no sé cómo voy a ponerme en contacto con Céline. Habíamos decidido encontrarnos en el parque Vondel por la mañana, pero es demasiado tarde.

—¿Por qué no la esperas en las cercanías del edificio? —sugirió Keizer.

—Está bien, lo intentaré. Esperemos que le toque salir.

Durante tres horas completas Valentine vio a todo el que entraba y salía de la sede de Almas Vivas. A ratos estuvo apoyado contra un árbol, sentado en un cubo de basura o caminando de arriba abajo. La gente que residía en el canal se preguntaba qué estaría haciendo aquel chico allí, y una señora llegó incluso a traerle una taza de café. A la mujer no le movía sólo la amabilidad, sino también la curiosidad: trataba de averiguar qué se traía el chico entre manos.

—Estoy esperando a mi novia —dijo.

—¿Y no ha aparecido todavía?

—Gracias por el café —dijo Valentine, devolviéndole la taza vacía. «Sería un pésimo detective —pensó—. Los buenos detectives saben cómo pasar desapercibidos y la gente no les ofrece tazas de café.»

Estaba decepcionado por el modo en que le estaban saliendo las cosas y por los escasos resultados que habían conseguido. Cuando Keizer los invitó a los tres a su casa, Valentine se había imaginado que trabajarían como un equipo, del cual él sería el líder. Era lo que se le daba bien y lo que disfrutaba haciendo. No había nada malo en ello. ¿Por qué no iba a gustarle ser un líder si se le daba bien? Siempre y cuando hiciera bien el trabajo y no por motivos equivocados. Esa filosofía era aplicable a todo en esta vida. ¡Qué pobres resultados se habían logrado de su trabajo en equipo! Paul se había vuelto inabordable y no era posible hablar con Josie porque vivían en mundos distintos, o al menos eso era lo que parecía. Céline seguía sin dar señales de vida. El edificio estaba empezando a llenarse, a medida que se iban reuniendo los miembros de la secta para celebrar la velada comunitaria, el acontecimiento cumbre de la semana en el que predicaba el Profeta. Valentine sabía que Céline no se lo perdería por nada del mundo, por lo que debía de estar ya dentro o a punto de llegar. ¿Y si le escribiera una nota? No, eso no sería inteligente, ya que cualquier otra persona podría abrirla. En el breve período de tiempo que había formado parte de la secta no había recibido ninguna carta en la dirección de Almas Vivas, y no le habría sorprendido que la secta no respetase la privacidad del correo. La gente había dejado de llegar al caserón. Valentine miró al reloj por centésima vez. La ceremonia debía de estar a punto de iniciarse.

«Soy un simple peón en toda esta operación —pensó—. Apenas estoy involucrado en la misma. Josie se encuentra en la guarida del león. Leo se mueve por los aleros y abre cerraduras.» Incluso Paul tenía un papel que desempeñar: el de víctima. Aumentaba su frustración el hecho de tener tan poco que hacer.

De repente Céline pasó corriendo, con el rostro sudoroso.

—¡Eh, Celine!

La muchacha le miró y le saludó con la mano, pero no se detuvo. Hacía mucho tiempo que Valentine no corría tanto. Alcanzó a Céline en el momento en que estaba a punto de entrar en el edificio.

—Perdona, no puedo entretenerme —dijo ella jadeante—. El Profeta empezó hace media hora. Me topé con mi madre en la ciudad y no había forma de que dejara de hablar. No pude zafarme de ella antes.

—Sólo un segundo —dijo Valentine.

—De acuerdo, un segundo.

—Cuando el Profeta acaba de hablar y una vez que termina el ritual de iniciación del nuevo grupo, podéis formular preguntas, ¿no es cierto?

—Así es, pero apenas lo hace nadie. Yo nunca he hecho ninguna.

—¿Querrías hacerlo hoy?

—No me atrevería.

—Por favor. Hazlo por mí. Hay algo importante que quiero averiguar. Se trata de lo siguiente: ¿cuándo, en qué fecha, Dia reveló al Iluminado que había sido elegido para fundar Almas Vivas?

—¿Por qué quieres saberlo?

—Porque acabo de leer en un libro de astronomía que algo muy especial sucedió un día hace ahora diez años —se inventó Valentine—. Algo que cambiaría el mundo. Tengo realmente curiosidad por saber si esa fue la fecha en que Dia le habló al Iluminado.

—¿Qué fecha fue esa?

—No; consígueme la fecha primero y yo te diré si es la misma.

—De acuerdo. Se lo preguntaré si me atrevo. Ahora debo entrar.

—Muchísimas gracias.

—Adiós.

A Josie no le habían permitido asistir a la reunión del viernes anterior. El Profeta había dicho que puesto que ya recibía tanta atención de él individualmente, podría resultarle abrumador oírle también dirigir la palabra a una gran multitud. Josie había replicado que todo lo que viniera del Profeta le parecía poco, pero éste no le hizo caso.

Aquella semana la polémica ni siquiera se había suscitado. Eso significaba, por supuesto, que Josie no estaba autorizada a asistir al acto religioso, pero ella decidió interpretarlo al revés y poco después de las ocho bajó sigilosamente las escaleras y se sentó en un rincón junto a la puerta, procurando pasar tan desapercibida como le fuera posible. Unos cuantos chicos y chicas, sentados cerca de ella, la saludaron. Se les hacía raro que Josie permaneciera siempre en el piso del Profeta y que nunca bajara, pero puesto que se suponía que las almas vivas no debían formular preguntas —lo que hacía más fácil la vida del Profeta y sus Eminencias—, nunca habían tratado de averiguar el porqué de su comportamiento.

El Profeta comenzó a hablar. Aunque en teoría podía ver a todo el mundo desde el escenario, Josie sabía que no se daría cuenta de su presencia; De Vries era corto de vista y nunca aparecía en público con las gafas puestas. De nuevo Josie notó la persuasión con que hablaba. Si no se le escuchaba con sentido crítico y se daba por sentado que lo que decía era bueno y acertado, no era sorprendente que causara tanta impresión a su audiencia. Había diez nuevos miembros y el Iluminado estaba ahora dirigiéndose a ellos. A continuación siguió la ceremonia de la mano sobre el corazón y los cánticos. Cuando concluyó toda esta parte, Willem de Vries se sentó y, un poco sofocado, preguntó:

—¿Hay alguna pregunta?

Se produjo un prolongado silencio. ¿Quién podría tener algo que preguntar? ¿No había dicho el Profeta todo lo necesario? Parecía que no, pues una chica se levantó, con el rostro encendido como una amapola, y preguntó:

—Profeta, me gustaría saber la fecha en la que Dia te pidió que nos guiaras.

Transcurrieron unos momentos antes de que los presentes comprendieran la pregunta. Entonces, algunos comenzaron a asentir con la cabeza y otros se pusieron a murmurar:

—Sí, dínoslo.

—Os gustaría saberlo, ¿no es cierto? —dijo De Vries.

Se puso de pie de nuevo y comenzó a hablar, en voz baja al principio y luego con más fuerza, dejándose llevar por la resonancia de sus propias palabras, hasta disertar con voz atronadora como si estuviera tratando de que le oyera el mundo entero.

«Hubo un tiempo en que yo, al igual que vosotros, fui un joven lleno de dudas —dijo el Profeta—. Iba a la iglesia y leía los escritos de los grandes filósofos, pero todo lo que oía y leía me parecía insustancial y estéril. Las palabras eran correctas, pero al pronunciarlas su sonido era apagado. Lo que estaba escrito no era falso, pero no irradiaba luz alguna. Como un ciego, vagaba por un montón de sombras y peligros en el que nada me orientaba en la dirección adecuada.»

El Profeta fue describiendo lo inseguro y desdichado que se había sentido, así como lo incomprendido y poco respetado que había sido. Lentamente fue dándose cuenta de que no había libros escritos para él y que aún no había nacido el maestro que pudiera enseñarle algo nuevo.

«Así comencé a ver con claridad que en lugar de ser alguien que pudiera ser dirigido, estaba destinado a ser alguien que dirigiera a los demás —dijo el Profeta con modestia—. Esperé. Sabía que llegaría el día en que sería llamado a tan sublime empresa.

»Y ese día llegó. Fue el 11 de octubre de 1976.

»Fue en Kerry, un condado situado al suroeste de Irlanda. Allí se alza una cordillera de montañas llamada la Macgillacuddy's. Aquel día escalé Carrantuo Hill, la cumbre más alta de la cadena montañosa. Mientras estaba allá arriba, contemplando el hermoso panorama, me vi rodeado por un mar de luz y oí la voz de Dia en mi interior, diciéndome: "Tú eres el Profeta, el Iluminado. Has sido llamado a guiar a los jóvenes en este mundo de tinieblas. Muchos no saben adónde ir ni qué hacer. Ayúdalos y muéstrales el camino". Entonces supe cuál era mi misión y el porqué estaba en este mundo.»

Josie salió de la sala sin que nadie lo notara, pues todos los presentes estaban escuchando al Profeta con extraordinaria atención.

«Parece realmente que De Vries se lo cree todo a pie juntillas», pensó la joven. Ella era probablemente la única persona que no había quedado impresionada por aquella revelación. Sentía alergia a ese tipo de teorías y tuvo que esforzarse por contener la risa. No podía evitarlo. Le habría parecido más convincente si el Profeta hubiera visto súbitamente la luz de Dia mientras trabajaba en una fábrica. Es fácil fantasear en lo alto de una montaña mientras el sol se pone lentamente y con un bello paisaje a tus pies.

La fecha quedó grabada en su memoria: 11 de octubre de 1976. Josie fue a recoger la llave de su habitación y se dirigió precipitadamente al cuarto del gran líder. Confiaba en que todos permanecieran abajo, hechizados por el magnetismo de las palabras del Profeta. Cada vez le era más fácil abrir una cerradura. Esta vez la puerta se abrió rápidamente. Josie pulsó los números que creía correspondían a la clave, convencida de que esta vez sus sospechas se iban a confirmar.

Se oyó un leve ¡tic! y la cerradura cedió. Con gesto de triunfo Josie abrió la puerta de la caja fuerte. Había cinco estantes en su interior. En ellos se amontonaban papeles, una caja metálica con una llave puesta y siete cajas de zapatos.

Josie sacó la caja de metal y la abrió. Había dinero dentro, pero no mucha cantidad, algo menos de mil florines, según calculó de un vistazo. La volvió a meter y cogió una de las cajas de zapatos. Era tremendamente pesada.

Josie la empujó hacia fuera con ambas manos y levantó la tapa. Estaba llena de monedas antiguas que parecían de cobre. Miró en otra caja. También había monedas, pero más nuevas. ¿O eran de oro y eso las hacía parecer más nuevas?

Tenía que haber allí una fortuna. Debían de tener gran valor, ya que eran antiguas y de oro, plata y cobre. A eso se dedicaba el dinero que aportaban los miembros de Almas Vivas. Josie pensó en lo que estaba escrito en el expediente de Willem de Vries: que le encantaban las mujeres, Bach y la numismática. Parecía que lo que más le encantaba era la numismática.

Josie empujó las cajas y cerró la caja fuerte. En su precipitación por salir le costó más trabajo abrir la puerta desde dentro. La sangre le latía en sus sienes mientras hurgaba en la cerradura toda asustada pues le parecía haber oído pisadas en las escaleras.

LA EMINENCIA MARTHA había advertido la presencia de Josie sentada en un rincón de la sala. Sabía que el Profeta sospechaba de ella, y sentía un profundo respeto por su discernimiento. No estaba convencida de que el gran líder le hubiera dado permiso para asistir a la reunión, y cuando Josie desapareció, Martha supo que tenía razón al desconfiar de ella.

Entonces decidió subir a atormentar un rato a la joven. «Sé dura con ella hoy», le había dicho el Profeta. Bajar a hurtadillas, sin permiso, era motivo suficiente como para castigarla.

Una vez en el rellano del piso alto, Martha se detuvo a escuchar. ¿Serían imaginaciones suyas o se oían ruidos procedentes de la habitación del Profeta? De repente la puerta se abrió y la chica de las trenzas salió de puntillas. Martha avanzó un par de pasos hacia Josie y le preguntó con brusquedad:

—¿Qué estabas haciendo? —Josie se llevó un susto de muerte. Apenas pudo contener un grito y notó que su corazón latía alocadamente. Abrió la boca; le faltaba el aliento—. ¿Qué estabas haciendo en la habitación del Profeta? ¿Cómo has entrado? Su cuarto está siempre cerrado con llave.

—Estaba abierto —balbuceó Josie.

—¿Qué tienes en la mano?

—Nada.

—Sí, tienes algo. Déjamelo ver —Martha agarró la muñeca de Josie y le hizo abrir la mano. Allí, en la palma, estaba la llave.

—Estaba en la cerradura —dijo Josie—. Estaba tan impresionada por lo que había dicho el Profeta, que deseaba sentirme próxima a él. No... no pensé que fuera algo tan terrible entrar en su cuarto y sentarme en el taburete.

—Mentirosa —dijo Martha—. Vete a tu habitación. Ya vendrá el Iluminado a ajustarte las cuentas. Le contaré todo. Dame la llave.

—Sí, Eminencia Martha —dijo Josie humildemente.

Se fue a su habitación y Martha la siguió. La Eminencia giró la llave de su puerta. Aquello no había sucedido anteriormente. Ahora se había convertido realmente en una prisionera. ¿Qué iban a hacer con ella? Por un momento el pánico se apoderó de Josie. Empezó a aporrear la puerta con los puños, pero todo lo que podía oír era el ruido que ella misma estaba haciendo. Martha debía de haber bajado de nuevo. El Profeta subiría acompañado por su Consejo Supremo dentro de media hora. El pánico no iba a servirle de nada. Después de todo, no iban a asesinarla.

«Toda esa materia gris no está ahí solamente para llenar el cráneo —le decía su padre a menudo—. Desempeña una función.»

Josie llegó a la conclusión de que aquél era un buen momento para hacer uso de ella.

10

LA cama de la habitación de Josie tenía un bastidor metálico con un somier de muelles desgastados, un fino colchón, dos sábanas y un par de mantas bastas. Quitó las sábanas de la cama, las enrolló y las ató fuertemente con un buen nudo. A un extremo hizo un nudo más grueso. Entonces abrió la ventana y miró hacia la de Lucy, en la casa contigua. Estaba cerrada. Josié musitó una fugaz plegaria, echó las sábanas al vacío y comenzó a balancearlas hasta que por fin logró golpear la ventana de Lucy con el nudo situado a un extremo de las sábanas. Rezó porque Lucy estuviera en casa y notara el impacto del nudo en los cristales.

Tuvo suerte. En aquel momento Lucy estaba pensando con alegría en el emocionante giro que había experimentado su vida últimamente. Cuando notó que algo blanco aparecía a intervalos ante su ventana, supo que algo interesante iba a suceder de nuevo. Se asomó y vio a una chica con grandes trenzas acodada en el alféizar, balanceando una cuerda de sábanas a la manera de una princesa medieval encerrada en un castillo.

—¿Quieres salir? —preguntó Lucy con curiosidad.

Josie confiaba en que todo el mundo siguiera abajo y que nadie estuviera escuchándolas.

—¡Lo has acertado! —replicó—. ¿Aún conservas el asombroso artilugio de Leo?

—Pues claro.

—¿Podrías mandármelo?

—Claro que puedo. Pero no sé si debo hacerlo.

—¡Me están reteniendo prisionera! —exclamó Josie con dramatismo.

—Me preocupa que puedas caerte al suelo. Las piedras son muy duras.

—Dentro de quince minutos aparecerá por aquí armados con atizadores candentes para torturarme —dijo Josie.

—¿Podrás aguantar la impresión? —preguntó Lucy, mientras enganchaba al canalón el artilugio de Leo. Ya era suficientemente peligroso asomarse a la ventana, pensó. Ni por un millón de florines se arriesgaría a colgar sobre el vacío en ese precario peldaño—. Todo esto va contra mis principios —concluyó temblorosa.

—Eres tan mala como mi abuelo —dijo Josie, pero Lucy se había ido a buscar el rastrillo y no la oyó.

La herramienta seguía allí, suscitando infinidad de comentarios de parte de las amistades de Lucy. Ésta lo utilizó ahora para empujar el artilugio colgante hacia Josie todo lo posible. La operación era delicada, ya que las puntas del rastrillo tendían a engancharse en las hojas secas y otros obstáculos existentes en el canalón. Con perseverancia logró finalmente desplazarlo hasta la ventana de Josie, lo que constituyó un enorme alivio para ella, pues no dejaba de imaginar que oía ruidos de pisadas procedentes de las escaleras. Desanudó las sábanas, las alisó y rehízo primorosamente la cama. Entonces sujetó la correa de su bolso al cinturón de sus vaqueros con el fin de que le estorbara lo menos posible. El peldaño estaba sólo sujeto a una de las barras, así que lo enganchó a la otra también. Josie se preguntó si se atrevería a montarse en aquel artilugio tambaleante.

«Vamos —pensó—. Leo se reirá de mí como un loco si no lo hago. De cualquier modo, no me atrae la idea de quedarme aquí.»

Se encaramó al alféizar de la ventana, se agarró a una de las barras y puso un pie sobre la delgada plancha de madera.

—¿Te importa que no mire? —preguntó Lucy—. No puedo soportarlo.

Josie estaba demasiado ocupada para responder y Lucy no pudo evitar observar cómo la muchacha apoyaba el otro pie en el peldaño. El artilugio se balanceó con violencia. Lucy se dio cuenta de que Josie mantenía los ojos firmemente cerrados. Tan pronto como se redújeron los vaivenes, Josie los abrió valientemente de nuevo y empezó a moverse, desplazando su peso a la izquierda y corriendo la barra de la derecha.

El resto resultó bastante fácil.

—NO FUE NADA —dijo Josie desenfadadamente a su abuelo días después. Sin embargo, al pensar en lo que había hecho su nieta, a Keizer le corrió un escalofrío por la médula espinal.

El señor Van der Grinten estaba asombrado de la velocidad a la que se desarrollaban los acontecimientos en los tiempos modernos. Ahora eran las chicas las que practicaban el deporte de viajar por los aleros. El hombre contempló el ejercicio acrobático con el mismo interés que reservaba normalmente para las carreras que daban por televisión; esperaba que la chica se estrellase en cualquier momento.

No fue así. Josie llegó a la ventana de Lucy y ésta la ayudó a entrar. El artilugio fue devuelto a su sitio junto a la librería. Se trataba de un objeto antiestético para tenerlo dentro de casa, pero Lucy dijo:

—Me parece que lo echaría de menos si me deshiciera de él. Me ha robado el corazón.

Josie le dio calurosamente las gracias y le informó rápidamente de lo que había estado sucediendo. Luego Lucy la acompañó hasta la puerta de la calle y Josie, tras despedirse, se fue apresuradamente. Tan pronto como llegó al Leidseplein, telefoneó a su abuelo desde una cabina. Keizer dio un suspiro de alivio cuando oyó que su nieta estaba libre de nuevo.

—Ven a nuestro café —dijo Keizer—; me reuniré allí contigo.

—¿No sería mejor encontrarnos en casa de Valentine?

—Tienes razón. Así hablaremos los tres.

—Hasta la vista —dijo Josie, y colgó el teléfono.

EL PROFETA ESTABA SUDOROSO cuando abandonó el escenario. Predicar era una actividad agotadora. Cuando bajaba lentamente los escalones del entarimado, la Eminencia Martha le dijo:

—Pillé a la chica de las trenzas en tu habitación. Tenía una llave de la puerta.

—Bueno, bueno —dijo el Profeta—. No puedo decir que eso me sorprenda. Sabía que no se podía confiar en ella. ¿Qué explicación te dio?

—Afirmó que quería sentirse más próxima a ti.

—Esa chica no tiene un pelo de tonta. Cuanto más la conozco, tanto más me interesa. ¿Dónde está ahora?

—La he encerrado en su habitación —contestó Martha.

—Entonces, vamos a verla.

Martha abrió la puerta y se hizo a un lado para dejar pasar a Willem de Vries. La habitación estaba vacía y la cama hecha. La ventana estaba abierta de par en par.

—El pájaro ha volado —dijo el Profeta—. Estaba tan llena de espiritualidad que ha vencido la fuerza de la gravedad y se ha deslizado por las líneas del campo magnético terrestre —Martha se le quedó mirando. ¿Lo decía en serio o estaba bromeando?—. A menos que se haya hecho papilla al estrellarse contra el suelo —continuó De Vries, asomándose por la ventana para mirar—. No, no está ahí abajo. Entonces es que ha utilizado su cuerpo astral y en este momento se encuentra revoloteando por Amsterdam.

—¿Te acuerdas de ese joven que entró aquí no hace tanto tiempo? —preguntó Martha.

—¿Ayudado por su cuerpo astral?

—No; entró a través de la ventana de una vecina y colgado del canalón.

—Olvídala —dijo el Profeta—. No puede haber descubierto nada importante. El comisario Keizer ha sido burlado una vez más. Almas Vivas sobrevivirá durante siglos.

ERA VIERNES DE NUEVO y hacía una semana que Keizer había recuperado a su nieta. Se había quedado tan delgada que Keizer había estado a punto de coincidir con el Profeta en que Josie pesaba tan poco que podría haber salido volando por la ventana.

—No me dieron gran cosa de comer —le había dicho Josie—. ¡Tanto mejor para mi tipo! Siempre me han sobrado unos cuantos kilos. Creo que me iré a vivir a Almas Vivas para siempre.

—¡De ninguna manera! —respondió su abuelo.

Cambiaron de tema, y se pusieron a hablar de Paul y de cómo librarle del movimiento.

Sobre Josie recayeron todo tipo de elogios por el coraje e ingenio de que había dado muestras. La información sobre la colección de monedas era inestimable.

—De todos modos —había dicho Keizer—, nos siguen faltando pruebas de que De Vries ha cometido algún delito. Estamos de acuerdo en que está explotando a sus seguidores, pero desgraciadamente la explotación no infringe ley alguna, y mucho menos cuando las víctimas están agradecidas, e incluso complacidas, de ser explotadas.

Fue Valentine quien sugirió un plan al día siguiente. Ahora se alegraba de haber inspeccionado minuciosamente el edificio de Almas Vivas en el breve período de tiempo que perteneció a la secta. Keizer puso todo tipo de objeciones. Se negaba rotundamente a dejar que ninguno de sus colaboradores se expusiera al peligro e insistía en que Josie no debía poner los pies en aquel lugar nunca más. Sin embargo lograron convencerle al final, sobre todo por la gran responsabilidad que había contraído con Paul. Si el plan tenía éxito, Paul podría ser recuperado.

—Una vez más tendré que observar los acontecimientos a distancia —dijo con resignación.

—Que es exactamente lo que los líderes deben hacer —bromeó Josie—, especialmente cuando ya están jubilados.

A las siete de la tarde de aquel viernes Keizer, Valentine y Leo acudieron a la puerta de la casa contigua a la sede de Almas Vivas. Leo pulsó el timbre de la puerta de Lucy. Ésta estaba ya avisada de que iban a ir y los estaba esperando. A Lucy le pareció bastante rara la presencia de un antiguo comisario de policía en su habitación, y tan inhabitual que había preparado café y sacado cuatro tazas, a dos de las cuales les faltaban las asas.

Tras admirar detenidamente el artilugio de Leo, Keizer miró por la ventana. El antiguo comisario experimentó un estremecimiento. ¿Había colgado su nieta desde tanta altura montada en aquel aparato? Él nunca habría sido capaz de hacerlo. Se le iba la cabeza sólo con mirar hacia abajo.

—¿Piensa usted mismo allanar esa casa, comisario? —preguntó la estudiante de Derecho, mostrando un vivo interés—. Eso me revela una imagen totalmente nueva de los métodos policiales.

—No, no —replicó Keizer—. Eso se lo dejo a la gente joven.

—Pero usted apoya sus acciones, ¿no es cierto?

—En cierto modo.

—¿Así es que usted no está en contra de que las leyes se quebranten «en cierto modo»? —siguió Lucy inmisericorde—. ¿Más café, comisario?

—Creo que lo que está sucediendo ahí al lado es inmoral, aunque no vaya contra lo establecido por la ley —dijo Keizer—. Ya no actúo en mi condición de policía; estoy haciendo lo que, como individuo, considero imprescindible. Sí, me gustaría tomar algo más de café, es excelente.

—¿Qué hacemos si la ventana de Josie se encuentra cerrada? —preguntó Valentine.

—No tienes más que empujarla con fuerza —contestó Leo—. El marco está podrido y el cierre cederá.

—Esta noche no va a iniciarse a ningún recién llegado —dijo Valentine—. No obstante, se espera que el Profeta baje entre las ocho y cinco o las ocho y diez, acompañado por todas las Eminencias, como de costumbre. Por tanto, no habrá moros en la costa hacia las ocho y cuarto.

A las ocho y cuarto las barras fueron enganchadas al canalón y Leo inició su ya rutinario viaje. Abrió de un empujón la ventana de la que había sido la habitación de Josie y entró.

173

Entonces Valentine recuperó el artilugio con ayuda del rastrillo y repitió la maniobra de Leo. No le mareaban las alturas, por lo que no le pareció difícil desplazarse por la fachada. Poco después se encontraba junto a Leo mientras éste trataba silenciosamente de abrir la puerta. Ésta había sido cerrada con llave desde fuera.

—Qué fastidio —dijo Leo. Sacó un manojo de llaves y comenzó a hurgar en la cerradura—. Esto va a llevar algún tiempo —suspiró—. Demasiado. ¿Sabes de quién es la habitación contigua?

—De la Eminencia María, creo.

—Iré a echarle una ojeada —Leo se volvió a montar en el artilugio y alcanzó la ventana contigua.

—¡Eh, espera! —susurró Valentine—. No tengo aquí el rastrillo, así es que ¿cómo voy a recuperar el artilugio? Quiero ir contigo.

Leo hizo caso omiso de las protestas de su amigo. La ventana de María se encontraba abierta y Leo desapareció rápidamente de la vista de Valentine. Éste empezaba a ponerse furioso cuando oyó unos golpecitos en la puerta. Se sobresaltó, pero volvió a relajarse, pues el rostro de Leo apareció al entreabrirse la puerta.

—La llave estaba al otro lado de la cerradura —dijo Leo con una sonrisa.

—¿Ponemos manos a la obra?

—Sí.

EN AQUEL PRECISO MOMENTO Josie entraba sigilosamente en la gran sala donde el Profeta estaba a punto de impartir su sermón semanal desde el escenario. Estrictamente hablando, ella no era imprescindible para la ejecución de la operación de aquella noche, pero no quería perdérsela por nada del mundo.

—Estaré perfectamente segura entre toda esa gente —se

dijo—. En el peor de los casos me echarán y, si eso sucede, sencillamente me marcharé y ahí se acabó todo.

Pocos de los asistentes notaron su presencia. Y casi nadie sabía el tratamiento especial que había recibido en la secta. Sin embargo, Paul la vio desde donde estaba sentado en medio de la sala, pues, debido a su estatura, sobresalían su cabeza y sus hombros. Algo empezaba a importunarle en su mente, resquebrajando la solidez de sus recién adquiridas convicciones.

La Eminencia Martha también la vio, sentada en el mismo lugar que la semana anterior. Estaba asombrada de la desfachatez de Josie y juró tomar medidas al respecto cuando el Profeta terminara de hablar.

Willem de Vries comenzó su plática. Los presentes le escucharon con devoción durante la hora larga que duró la disertación. Luego todos entonaron un par de cánticos en los que participó Josie; sabía perfectamente la letra. Pero su voz sonaba muy débilmente, ya que su garganta estaba reseca por la emoción. Una vez concluida la estrofa final del último cántico, el Profeta preguntó con voz cansada si había alguna pregunta. Como la semana anterior, Céline se levantó.

Esta vez a Valentine le resultó más fácil persuadirla de que hiciera una pregunta. La maravillosa respuesta que el Profeta había dado a su pregunta sobre la fecha en que había sido elegido por Dia le había hecho merecedora de grandes elogios. La nueva sugerencia de Valentine podría traer consigo otra hermosa respuesta. Además, había sentido una emoción extraordinaria la última vez que había abierto la boca delante de tanta gente. Había sido escalofriante, pero al mismo tiempo le había hecho vivir una gran alegría interior. Tal vez había sido por atreverse a hacer algo no ordenado directamente por Almas Vivas. Había actuado con independencia, aunque Céline no era realmente consciente de ello.

—Me gustaría preguntaros qué opináis del dinero —dijo Céline—. ¿Es importante el dinero? ¿Da la felicidad? ¿Cómo deberíamos tratar el dinero en nuestra condición de almas vivas?

El Profeta se volvió a poner de pie lentamente y carraspeó:

—El dinero —comenzó a decir—, el dinero es la maldición de este mundo. El brillo de la plata y el resplandor de oro ciegan a la humanidad y desvían su atención de aquello que es realmente importante. No me extraña que hayas suscitado esta pregunta, jovencita, ya que nunca me habéis oído hablar del dinero. Las mejores cosas de la vida no pueden comprarse con dinero. ¿Cuántas monedas de oro hacen falta para resucitar un alma muerta? Todos nos damos cuenta de lo estúpida que es esa pregunta.

En aquel momento De Vries se distrajo por el sonido de algo menudo que cayó en el escenario, algo parecido a una moneda de diez céntimos. El Profeta titubeó y siguió hablando como si no hubiera oído nada.

—El dinero es el veneno del alma. El hombre o la mujer que se dedica a contar billetes de banco no puede asimilar la doctrina de Dia y el Profeta. Al igual que el Profeta devuelve la vida de las almas muertas, el dinero mata a las almas vivas.

De nuevo se produjo un tintineo, como si dos monedas hubieran caído sobre el entarimado. Los que estaban sentados en la primera fila lo oyeron con bastante claridad. El Profeta también lo oyó. Parecía alterado, pero en lugar de hacer una pausa y preguntar: «¿qué es eso?», comenzó a hablar con mayor rigidez:

—El oro es el frío altar del pensamiento —De Vries estaba poniéndose nervioso—. La Biblia dice que «es más fácil para un camello pasar por el ojo de una aguja que para un hombre rico entrar en el Reino de los Cielos».

Entonces cuatro monedas más tintinearon sobre el suelo del escenario. Allí estaba perfectamente visibles para el auditorio. Willem de Vries no podía verlas pues no llevaba puestas las gafas. El Profeta miró a su alrededor con ansiedad. Había perdido la concentración. Siguió hablando, pero de sus labios ya sólo brotaban perogrulladas:

—El dinero no hace feliz a nadie —exclamó—. Es la raíz de todos los males. Es más meritorio dar que recibir. El amor no puede adquirirse con dinero.

Encima del escenario había una trampilla, que se utilizaba

normalmente para bajar accesorios durante las representaciones. Valentine la había visto cuando exploró el edificio durante su breve pertenencia a la secta. Ahora estaba abierta y Valentine y Leo permanecían tumbados boca abajo a ambos lados de la abertura, cada uno con una caja de cartón llena de monedas que habían sacado de la caja fuerte del Profeta. Leo había traído otra llave para la puerta y, por supuesto, Josie les había dicho cuál era la combinación de la caja fuerte.

Valentine pensó que era el momento de arrojar un puñado de monedas por la trampilla; tintinearon y rodaron por el escenario de madera.

—¿Qué es esto? —exclamó el Profeta.

Los dos jóvenes dejaron caer puñados de monedas sobre el gran líder. Le golpearon en los hombros y aterrizaron a sus pies. El Profeta se arrodilló y recogió un par de ellas. Permaneciendo de rodillas, se puso a gritar:

—¡Una moneda de oro del emperador Zeno! ¡Un ducado veneciano de plata! ¡Un duro borgoñón!

Las monedas comenzaron a llover sobre De Vries, que se fue arrastrando entre ellas, totalmente fuera de sí y aparentemente inconsciente del ridículo que estaba haciendo. Los ojos de todos los presentes estaban clavados en el Profeta:

—¡Una pieza de diez florines de Willem III! ¡Ducados de oro, tres, cuatro! ¡Florines frisones!

Valentine y Leo vaciaron las cajas sobre el entarimado. Las almas vivas permanecían sentadas contemplando la escena con asombro, callados. Nadie se movió. Pero Willem de Vries gritaba exultante de gozo:

—¡Dia me envía oro y plata! ¡Dia me envía una lluvia de oro y plata!

Aún arrodillado, volviendo el trasero a la audiencia sin la menor elegancia, el Profeta se puso a amontonar las monedas. Era un espectáculo bochornoso. Valentine encontró una moneda corriente de veinticinco céntimos en su bolsillo y no pudo resistir la tentación final de apuntar al trasero del Profeta y arrojársela. El efecto fue de una gran comicidad; algunas de las almas vivas comenzaron a reír entre dientes. La Eminencia Martha abandonó la sala, disgustada. De Vries fue recogiendo las monedas a puñados y metiéndoselas en los bolsillos. Las risitas enmudecieron. La sala quedó ahora sumida en un profundo silencio. El codicioso líder se dio cuenta y alzó la vista. El Profeta recobró entonces el sentido de la realidad. De repente lo comprendió todo: aquellas monedas eran las suyas propias. Se quedó mirando fijamente la moneda de oro de diez florines de finales de siglo que tenía en la mano y reconoció su canto desgastado. Conocía sus monedas tanto como a sus seguidores, incluso mejor. Comprendió que había hecho el ridículo delante de ellos y que había perdido su poder y su atractivo.

Se puso en pie con dificultad a causa del peso de las monedas que llenaban sus bolsillos. Arrojó la moneda de oro de diez florines contra el escenario y, con gesto de fatiga, abandonó la sala sin volver la vista atrás ni una vez. En cuanto se marchó De Vries, Valentine arrojó una cuerda por la trampilla y se deslizó por ella hasta el entarimado. Las almas vivas, aturdidas por lo que había sucedido, no se movieron y siguieron mirando fijamente al escenario. Valentine dio unos pasos hacia delante y se puso a dirigirles la palabra. Aquello se le daba bien, como ya había descubierto durante los años en que fue presidente de la asamblea de alumnos, y disfrutaba haciéndolo. Había tenido una semana para reflexionar sobre lo que iba a contar a los miembros de la secta.

—El hombre al que llamáis el Profeta no es Dios, ni tampoco ha sido enviado por Dios —comenzó diciendo—. Es un ser humano, como todos nosotros, con sus cosas buenas y sus cosas malas. Os ha hecho trabajar muchísimo a todos. Con el dinero que ganasteis para él se compró monedas, incluso más que las que acabáis de ver. Siente pasión por la numismática —Valentine hizo una pausa y respiró hondo—. También tiene sus buenas cualidades, como sabéis mejor que yo. Pero es sólo un ser humano y a los seres humanos no se les debe rendir una obediencia ciega. Lo comprendéis, ¿verdad? A veces está bien obedecer, pero nunca ciegamente, pues eso entraña anular vuestra propia mente y vuestra propia voluntad, y no os las regalaron para eso. Si las intenciones de un líder son buenas, no hay nada malo en que sus seguidores aporten sus propias ideas. Un buen líder no debe tener miedo a eso, e incluso lo fomentará.

De nuevo Valentine hizo una breve pausa. Y mirando cara a cara a su audiencia, dijo:

—Como sabéis algunos de vosotros, yo también fui un alma viva durante cierto tiempo. Me llamo Valentine de Boer. Hallé mucho calor entre vosotros, así como amistad y comprensión. Estas virtudes no tienen que desaparecer. Incluso aunque os falte un líder, debéis apoyaros mutuamente, y mantener la cohesión del grupo, de forma que no lleguéis a sentiros solos.

Valentine recorrió la sala con la vista, desde la primera fila hasta el fondo y de izquierda a derecha, viendo que los presentes estaban escuchándole atentamente. Durante toda la semana había estado preguntándose cómo reaccionarían: ¿le arrojarían fuera de la sala o le darían una paliza? No hicieron ni una cosa ni otra. Se limitaron a escucharle. «Son buena gente —pensó—. Nunca emplearían la violencia.»

—Es asombrosa la fuerza que reside en las palabras —dijo—, y como consecuencia, el peligro que entrañan. Las palabras pueden utilizarse con mal fin. Son más afiladas que una bayoneta, más pesadas que un tanque y más certeras que una ametralladora. Pueden provocar que la gente incendie y expolie, mate y viole.

Mientras hablaba, Valentine pensó: «siento lo mismo que Willem de Vries debía de sentir: el poder de la palabra, el poder que tengo sobre estas personas porque me están escuchando». Valentine comprendió lo fácil que le sería abusar del don de la oratoria para cautivar a sus oyentes.

—No creo que las almas vivas puedan continuar como si nada hubiera sucedido esta noche —siguió diciendo—. Pero no existe la menor justificación para que os disgreguéis y no volváis a veros de nuevo. ¿Por qué personas a las que les gusta tanto estar juntas no iban a reunirse para hacer algo bueno y útil? ¿Por qué no aplicáis vuestros esfuerzos colectivos al servicio de los drogadictos, los refugiados políticos, los ancianos que se pasan las noches llorando a causa de su soledad? Naturalmente, me doy cuenta de que un grupo como el vuestro no llegaría muy lejos sin algún tipo de liderazgo. Pero existen otras formas de liderazgo distintas de la de... —Valentine titubeó. No debía elegir la palabra equivocada. Si decía: de la de Willem de Vries, resultaría despreciativo; las almas vivas nunca habían empleado ese nombre para referirse a su líder. Por otro lado no quería decir el Profeta o el Iluminado, pues aspiraba a que eso fuera olvidado. Si Valentine decía: de la de vuestro antiguo líder, parecería como si estuviera solicitando el convertirse en su nuevo cabecilla. Era asombroso cómo todas esas reflexiones podían recorrer la mente humana en fracciones de segundo—, de la de un hombre que puede decir cosas maravillosas, pero que también tiene sus defectos —acabó diciendo—. Lo que hagáis como individuos de ahora en adelante es cosa vuestra, por supuesto, pero sugeriría que nos reuniéramos de nuevo el lunes por la noche para discutir qué tareas podemos emprender y cómo podemos mantenernos unidos.

Valentine bajó lentamente los escalones del escenario. Las almas vivas permanecieron sentadas, volviendo la cabeza para mirarle a medida que avanzaba entre las hileras de sillas. Al llegar a la puerta, se volvió. Un joven de gran estatura se levantó de su asiento situado en mitad de la sala y caminó hacia Valentine. Se trataba de Paul. Cuando pasó junto al rincón que ocupaba Josie, ésta se levantó también y se unió a él. Los tres jóvenes se juntaron en el pasillo y salieron en silencio de la sede de la secta.

—Han cambiado las agujas del ferrocarril —comentó Paul metafóricamente—. Ahora el tren recorre los túneles de nuevo y se detiene ante las señales en rojo.

—Valentine, estuviste magnífico —dijo Josie—. Iluminado, si me permites la expresión.

—No, no te la permito —dijo Valentine con seriedad.

—Podrías convertirte en su próximo líder, expresándote de ese modo.

—Eso sería terrible —dijo Valentine—, tanto para ellos como para mí.

Un viejo «Escarabajo» se detuvo con un chirriar de frenos delante de ellos y Leo asomó la cabeza por la ventanilla.

—¿Queréis andar u os llevo en coche? —preguntó el joven.

—Puesto que parece que acabamos de superar un peligro espiritual —replicó Josie—, tal vez sería prudente no someternos inmediatamente a ningún peligro físico.

—Si mediante esa frase tan complicada queréis decir que preferís caminar, entonces os veré enseguida en el café —dijo Leo con una sonrisa, arrancando ruidosamente.

Los tres jóvenes le siguieron con mucha mayor lentitud, como si de repente hubieran envejecido varios años.

11

ERA sábado, a la caída de la tarde. Todos habían sido invitados a la casa de los Keizer, incluidas Céline y Lucy. Era un luminoso y cálido atardecer de verano; el buen tiempo los invitó a sentarse en un gran círculo en el jardín. El sol se acababa de poner, dejando el cielo de un color rojo intenso. Al día siguiente haría buen tiempo. El planeta Venus acababa de aparecer por el poniente y empezaban a lucir las estrellas. Keizer y su esposa habían preparado una cantidad inagotable de bebidas y aperitivos, conscientes del voraz apetito de que disfrutaban sus jóvenes convidados. Nadie fumaba; ese hábito malsano estaba empezando a perderse.

—Hoy he mantenido una larga conversación con Willem de Vries —les dijo Keizer—, el Profeta —añadió para mejor comprensión de Céline—. Le he dicho que podía demandarle por intentar drogar a Josie y mantenerla encerrada bajo la vigilancia de una de sus compinches, la Eminencia Martha. De Vries ha replicado que no llegaría muy lejos con esos cargos, y tiene razón. Ha añadido que al juez le fascinaría oír cómo un antiguo comisario de policía había estado involucrado en allanamiento de morada y en robo de valiosas monedas de una caja fuerte.

—¿Qué va a hacer De Vries ahora? —preguntó Valentine.

—Le he sugerido que no iremos a los tribunales con la condición de que dé por terminadas las actividades de la secta, que acabe con «Almas Vivas». Puede guardarse las monedas. De Vries ha accedido. Le he explicado que será mejor que abandone el país. De Vries se marcha al País de Gales mañana. Sus colegas se encargarán de la desaparición del movimiento. Me da la impresión de que necesitaba un cambio de aires. Estaba realmente derrumbado.

—Sí que lo estaba —confirmó Céline—. La experiencia del otro día fue terrible.

Valentine, que estaba sentado junto a la chica, alargó el brazo y le tocó la mano.

—Te utilicé —dijo—. Lo siento. Todos creíamos que era por una buena causa, y aún sigo creyéndolo.

—El Profeta es un gran hombre —dijo Céline—. Y siempre lo será para mí.

—Puede que estemos equivocados, Céline —dijo Paul—. Después de todo, yo lo estaba. Y el comisario estaba equivocado acerca de mí.

Esto era algo sobre lo que Keizer había estado cavilando mucho últimamente. ¿Cómo demonios Paul de Ravenswaai se había dejado engañar por Willem de Vries y su secta? Paul era testarudo, pero ya desde el comienzo no estaba completamente convencido de la legitimidad de la operación.

«Valoré demasiado su obstinación —pensó Keizer—. En general, es mejor tener menos convencimiento de las cosas. De esa manera se valora la polémica y uno está dispuesto a cambiar de opinión.» Keizer se quedó mirando a Paul atentamente. ¿Se habían vuelto sus hombros menos angulosos, o se trataba de un efecto óptico por la escasa luz que había?

—He aprendido a no estar tan seguro de algunas cosas —dijo Paul.

—Al menos tenía razón al confiar en ti —dijo Keizer—. Willem de Vries me ha contado que nunca llegaste a romper con nosotros, a pesar de que como alma viva era tu obligación hacerlo.

—No me siento muy orgulloso de mí mismo —dijo Paul—. Pero Josie sí debería estarlo —añadió dirigiendo la vista a Josie—. ¡Eh!, algo ha cambiado en tu aspecto. ¡Te has cortado las trenzas!

Todos se echaron a reír. Las trenzas de Josie habían sido el principal tema de conversación hacía un rato, pero Paul no se había dado ni cuenta, tan ensimismado estaba.

—Me las corté porque aprendí algo de las almas vivas —explicó Josie—. Me parece que puede que hayan tenido razón al afirmar que estaba demasiado apegada a mamá y papá. Mis padres me enseñaron a razonar con lógica y seguramente por eso Willem de Vries tuvo tantas dificultades al tratar de mediatizarme. De todos modos debo aprender a depender de mí misma. Así es que ¡fuera las trenzas! Y de ahora en adelante me gustaría que todos me llamaseis Josephine.

—¿Y por qué no señorita Josephine? —bromeó Leo, que se encontraba sentado junto a Lucy, tomándose algunas libertades con su mano derecha. A medida que iba oscureciendo, ella se resistía cada vez menos a las caricias de Leo.

Todos permanecieron en silencio un rato, mirando al firmamento. Ahora había toda una masa de estrellas, excepto encima de Amsterdam, donde el resplandor de la iluminación urbana las hacía invisibles. Keizer señaló un satélite que se desplazaba velozmente por el cielo y lo estuvieron observando hasta que se desvaneció por el neblinoso horizonte. Céline vio una estrella fugaz: «Que nunca vuelva a sentirme tan sola como lo estuve anteriormente».

—Cuando uno mira al cielo despejado, una noche de luna nueva, y se da cuenta de lo mucho que hay allí arriba, de todos esos millones de cuerpos celestes, de todas esas distancias de millones de años-luz, del tiempo y del espacio existentes a una escala inabarcable, qué pequeños e insignificantes parecen todos nuestros problemas —dijo Valentine como soñando.

—¿No os hace también pensar que las cosas pequeñas son tan importantes como las grandes? —preguntó Keizer—. ¿Que la juventud es tan importante como la vejez, y los sueños tan vitales como la realidad?

Nadie respondió. Todos los presentes estaban inmersos en el ambiente misterioso de la noche, sintiéndose insignificantes e importantes a la vez.

París, agosto de 1985.